KB196464

아무에게나 안 가르쳐주는

창업아이템
창업노하우

아무에게나 안 가르쳐주는

창업아이템
창업노하우

| 이영직 지음 |

🌱 나무생각

아직 아무도 접근하지 않은 분야의
창업 아이템을 찾아서

마케팅 전문가들이 즐겨 사용하는 명제가 있다. 장사, 사업이란 어느 분야든 규모에 관계없이 동일한 상권에서는 1, 2등만 돈을 벌 수 있고, 살아 남는다는 것이다. 그러나 이는 가장 실천하기 어려운 명제이기도 하다. 왜냐하면 기존의 어느 한 분야에 뛰어들어 1, 2등을 하기란 쉬울 리가 없기 때문이다. 이는 대기업이라도 마찬가지다. 중소기업에서 성공한 아이템으로 거대한 자본을 가진 대기업이 뒤늦게 그 시장에 뛰어들어 성공하는 경우는 거의 보지 못한다. 뒤늦게 뛰어든 후발 기업은 대부분 그 시장을 키워만 주고 물러나야 한다. 이것이 시장의 원리다. 크든 작든 어느 한 분야의 시장을 개척한 선두주자의 위력은 그만큼 크다. 1등, 적어도 2등을 하기가 쉽지 않다. 그러나 사고를 바꾸어 수평적 사고방식으로 접근하면 1등을 하기가 쉬워진다. **아무도 하지 않은 분야를 개척하여 성공하면 1등이 되는 것이다.** 90년대에 나타낳던 벤처기업들이 그러한 사례들이다.

지금 시점에서 아무도 하지 않은 분야를 개척하는 것이 절대적으로 유리한 이유는 또 있다. 어느 분야든 시장과 상권이 점점 더 좁아지고 있기 때문이다. 창업을 준비하는 사람들이 반드시 고려해야 할 사항이다. 교통, 통신의 발달과 인터넷의 등장으로 웬만한 아이템에 대해선 전국, 나아가 세계가 하나의 상권으로 묶여 그 입지가 좁아지고 있다. 이제는 제주도에 사는 소비자가 제주도 내의 백화점과 서울 강남에 있는 백화점, 인터넷 쇼핑몰, 홈쇼핑 중에서 선택할 수 있는 세상이다. 그렇다면 남이 하고 있는 아이템을 그대로 모방해서는 거의 승산이 없다. 소자본으로는 더욱 그러하다.

이 책은 아이디어 사업 창업 지침서다. 여기서 말하는 '아이디어 사업'이란 점포 사업이든 인터넷 기반의 IT 사업이든 간에 **기존의 사업 아이템과는 다른 새로운 개념의 창업 아이템**으로 승부하는 사업을 가리킨다. 이른바 아무도 접근하지 않은 분야의 창업 아이템을 찾아내고 이것을 사업으로 추진해 나가는 데 있어 필요한 정보와 방법론을 기술한 책으로 보아주기 바란다.

잠시 이야기를 돌려 창업을 활성화시키지 않으면 안 되는 국내의 사회적인 여건을 살펴보기로 하자.

바로 심각한 실업 문제다. 이 글을 쓰는 2003년 8월 현재 우리
나라 실업률은 3.4%로 조금씩 늘어나는 추세에 있다. 이를 IMF
당시의 8%에 비하면 양호하다고 할지 모르나 그 내막을 들여다
보면 안심할 수준이 아니다.

우선 전체 실업자 수는 대략 78만 명 정도다. 그 중 청년 실업
자가 38만 명으로 전체 실업자 수의 40%를 넘는다. 청년 실업자
가 이 정도로 많다는 것은 대학을 졸업하고 사회로 나오는 젊은
이들에게 희망이 없다는 의미다. 이는 국가, 사회적으로 큰 문제
가 아닐 수 없다. 여기에는 몇 년째 일자리를 찾다가 지친 나머지
구직활동을 포기한 사람의 수는 포함되지 않았기 때문에 이를 감
안한다면 청년 실업자 수는 훨씬 늘어나게 된다. 또 현재 실업자
수에는 포함되지 않았다 해도 임시직 등의 일을 하는 잠재적인
실업자를 간과하면 안 된다. 그럴 경우 청년 실업의 문제는 정권
차원이 아니라, 국가적인 과제로 다루어져야 할 사안이다.

다음으로 청년 실업자를 제외한 나머지 대다수는 소위 사오정
으로 분류되는 40~50대 실업자들이다. 사오정이란 45세 정년을
가리키는 유행어다. 40대, 50대 실업자가 40만 명이나 된다는

것은 40만 가구가 생존의 기로에 놓여 있다는 것을 의미한다. 그렇다고 당분간 이를 극복할 전망이나 대책이 있는 것도 아니다. **그렇다면 대안은 창업뿐이다.**

창업 분야 중에서도 아이디어 사업 분야가 활성화되어야 할 이유를 살펴보자. 먼저, 기존 아이템을 취급하는 우리나라 일반 소매점은 과포화 상태에 있다. 세계적인 소매점 조사기관인 AC닐슨이 조사한 바에 의하면 호주의 경우 소매점 하나당 상대하는 인구는 3100명, 홍콩이 1500명, 일본이 800명인 데 비해 우리나라의 소매점은 점포 하나가 겨우 400명의 인구로 연명하고 있다고 한다. 이는 기존의 일반적인 아이템은 이미 과포화 상태로 뚫고 들어갈 자리도 없거니와 진입에 성공한다 해도 돈을 벌기는 어렵다는 것을 말해준다.

또 하나, 프렌차이즈점의 과밀 현상이다. 우리나라 프렌차이즈점의 수는 본부가 1600여 개, 가맹점 수는 12만 개가 넘는다. 프렌차이즈점이 차지하는 매출은 GDP의 7.6% 선으로 일본의 3.3%에 비해 2배가 넘는 수치다. 이 역시 과밀한 상태다. 그렇다면 **돈을 벌 수 있는 아이템은 아무도 하지 않은 아이디어 사업이라야 한다.**

아이디어 사업 분야는 일단 성공만 하면 웬만한 기업 규모로 성장할 수 있다는 가능성을 함께 갖추고 있어 야심에 찬 젊은이들이라면 도전할 가치가 있는 분야가 아닌가 생각된다. 또 40~50대 중년 실업자 계층도 그 동안 사회에서 갈고닦은 노하우를 가지고 도전해봄직하다.

이 책이 아이디어 사업을 꿈꾸는 분들에게 도움이 되었으면 한다. 그리하여 개인과 나라의 어려움을 극복하는 데 조금이라도 일조할 수 있다면 필자로서 더 이상 영광이 없겠다. 독자 여러분들에게 행운이 함께하기를 바란다.

2003년 9월

이영직

PART 2 창업 아이템

패션플러스 / 정보를 제공하는 아마존과 물건만 팔았던 시디나우 / 델 컴퓨터 / 인터넷에선 선물이 최고 / 표준화 아이템—포도주 / 비표준화 아이템—인터넷 농산물 사업 / 공간 절약형 아이템—인터넷 가구점 / 시간 절약형 아이템—애완용품 / 가격 절약형 아이템 / 인터넷 글로벌 백화점 / 인터넷 수입대행 / 커뮤니티형 여성종합백화점 / 오프라인을 온라인으로—일본의 편의점 / 온-오프 겸용 배터리 전문점 / 솔루션과 택배를 겸하는 아이템 / 개성화 시대의 맞춤옷 / 인터넷 여론조사 / 디지털 상품을 판매하는 경우 / 오프라인 학원은 곧 사라진다 / 온라인 교육시장의 돌풍을 일으킨 이투스 / 내 아이는 지금… / 신생아실 모니터링 / 서비스 상품을 판매하는 곳 / 인터넷 인쇄소 / 아기를 위한 홈페이지 / 재택 검진 사업 / 정보제공형 콘텐츠

PART 1

창업 환경과 창업 트렌드

Chapter 1

창업 환경 분석

아날로그 시대와 디지털 시대의 패러다임이 교차하는
이 시대는 더 없는 창업의 기회다.
두 패러다임 사이의 틈새를 찾아라!

지금 우리가 맞이하고 있는 디지털 시대는 창업을 꿈꾸는 사람들에게는 더 없이 좋은 기회다. 지금은 새로운 패러다임의 초기에 와 있다. 하나의 패러다임paradigm이 다져진 다음에는 틈새를 찾기가 힘들지만 패러다임과 패러다임이 교차하는 시기에는 무수히 많은 틈새가 나타나게 되고, 이 틈새는 모두 창업의 기회가 될 수 있다는 것이다. 잠시 이 논의의 근거를 짚어보자.

기회는 패러다임의 변화의 와중에 있다

인류는 원시 수렵사회를 거쳐 목축사회, 농경사회, 산업사회를 지나 지금의 디지털 사회로 진입했다. 이른바 패러다임의 변화다. 패러다임의 변화를 부富 또는 가치 창출이라는 측면에서 보면 새로운 가치 창출의 수단이 나타나서 이전 방식에 의한 가치 창출을 추월하는 순간이 패러다임의 변화 시점이다. 새로운 패러다임의 초기에는 이전의 패러다임과 새로운 패러다임 사이에 아직 메워지지 않은 간격이 존재하며 여기에는 무수히 많은 틈새가 나타난다. 이것이 모두 부의 창출 기회며 창업의 기회다.

'디지털' 또는 '인터넷'이라는 새로운 패러다임이 등장했을 때 인터넷을 통해 책을 판다는, 지금에 와서 보면 아이디어랄 것도 아닌 아이디어가 디지털이라는 흐름과 맞아떨어지자 아마존Amazon.com은 단숨에 세계 최대 규모의 아날로그 서점 반스앤노블스Barnes & Nobles를 넘어설 수 있었던 것이다. 틈새는 변화의 와중에 있고, 지금의 틈새는 아날로그 시대에는 상상도 할 수 없었을 만큼 풍부한 창업의 기회를 제공해주고 있다.

다음으로, 지금이 몇 백년 만에 맞이하는 맨손 창업의 기회라는 것도 유리한 측면이다. 산업사회의 상품은 거의 본원적 가치가 우선시되는 물리적 상품들이었다. 이런 상품을 만들기 위해서는 거대한 자본과 기계, 노동력을 결합해야만 가능했고 따라서 어느 한 분야에 아무리 많은 지식과 노하우를 가지고 있어도 창업이란 사실상 불가능했다. 예를 들어 자동차 만드는 일에 평생을 종사한 사람이라도 자동차 부품 공장 하나 차리기가 쉽지 않았다는 것이다. 그러나 디지털 시대가 되면 이야기가 달라진다.

디지털 시대에는 재화의 개념 자체가 하드hard에서 소프트soft로 바뀌었으며, 이는 거대한 시설과 자본이 아닌, 창의적인 아이디어 하나에 불과하다는 것이다. 그 아이디어 하나가 상품화되어 시장을 선도하게 되면 굴뚝연기 뿜는 공장 수백 개에서 나오는 상품의 가치보다 훨씬 더 높은 부가가치를 창출할 수 있다는 것이다. 지난 10~20년 동안 우리가 보아왔던 무수한 사례들이 그러하다. 지금이 바로 맨손으로 창업할 수 있는 절호의 기회인 셈이다.

부의 빠른 축적 속도

경제적인 측면에서만 본다면 새로운 부富의 창출 수단이 나타나 기존의 수단으로 창출하던 부를 획기적으로 능가할 때 이를 패러다임의 변화라고 부를 수 있을 것이다. 농경사회는 초기에 이미 목축사회 전체의 부를 넘어섰으며 산업사회도 초기에 이미 농경사회 전체가 생산하던 부를 훨씬 능가했다. 우리나라의 경우를 보자. 농경사회였던 60년대는 전 국민의 70%가 농사를 지어도 먹고사는 문제를 해결할 수 없었지만 지금은 국민의 5%가 농사를 지어도 쌀이 남아도는 지경에 이르게 되었다. 농경사회에서 산업사회로의 이전이 그러했듯이 산업사회에서 디지털 사회로의 이전도 부의 크기와 축적 속도는 가속적으로 업그레이드된다. 지난 10~20년 동안 디지털이라는 새로운 상품을 들고 나온 무일푼의 젊은이들이 수십 년 동안 굴뚝에 연기를 피우며 키워온 아날로그 기업들을 단숨에 능가해버렸다. 디지털 사회 선도자 중의 한 사람인 빌 게이츠는 강철왕 카네기가 30년 동안에 이룩한 부를 3년 만에 이룩해냈다. 이는 새로운 패러다임이 등장했을 때 이를 선도한 자의 영광인 것이다. 부의 창출 기회, 즉 창업의 기회 역시 패러다임이 막 바뀌기 시작하여 정착되기까지가 가장 많다는 것이다. 지금이 바로 그러한 시기다.

디지털 시대는 우리의 국민성과 잘 맞아떨어진다

우리의 국민성이 다분히 디지털적이라는 이론은 두 가지 측면에서 설명이 가능하다. 디지털digital은 영어로는 '숫자'라는 뜻

외에 '손가락'이라는 뜻이 있다. 산업사회의 주역이 기계였다면 디지털 사회의 주역은 숫자와 손가락이다. 따라서 손재주가 뛰어난 민족이 이 시대의 주역이 되리라는 것이다. 손재주에 관한 한 우리는 세계 제일의 민족이다. 손재주의 경연장인 기능올림픽만 열면 우리가 우승을 휩쓰는 것도 우연이 아니다. 무기 중에서도 손재주가 가장 필요한 것이 활인데, 이 또한 우리는 타의 추종을 불허하고 있다. 지구상에서 말을 타고 달리면서 뒤따라오는 적을 180도 뒤로 돌아 활로 쏘아 쓰러뜨릴 수 있는 민족은 한민족과 아메리칸 인디언밖에 없다고 한다. 세계양궁대회만 열면 우리가 우승하는 것도 우리의 핏속에 흐르는 기마민족의 혈통 때문이다. 우리나라 여자아이들의 놀이인 공기의 경우 서양 여자들은 평생을 연습해도 흉내낼 수 없다고 한다. 이것이 우리가 세계에서 가장 디지털적인 민족이라는 증거다.

다음으로, 아날로그analog 사회가 논리의 사회, 규범의 사회였다면 디지털 사회는 감각이고 감성이며 열정이다. 아날로그가 머리로 생각하는 것이라면 디지털은 가슴으로 느끼는 것이다. 감성과 열정 역시 우리는 타의 추종을 불허한다. 월드컵 당시의 붉은 악마를 보라. 디지털 시대가 필요로 하는 이러한 가치가 우리의 국민성과 잘 맞는다는 것이다. 이 점이 일본과는 정반대다. 일본이 질서, 규범 준수적인 국민성을 가지고 있다면 우리는 규범 파괴적인 국민성을 가지고 있다. 일본이 아날로그 시대에 가장 적합한 민족이었다면 우리는 디지털 시대에 가장 적합한 민족인지도 모른다. 아날로그가 '모방'이라면 디지털은 '창의'다. 일본은 산업사회 기간 동안 원천적인 기술이나 새로운 개념의 상품을 만들어낸 것이 거의 없지만, 미국에서 개발한 기술과 상품을 가져다 좀더 정교하게 가다듬어 앙증스럽고 가볍고 예쁘게 개량하여 세계시장을 누비며 돈을 벌었다. 그것이 70~80년대 전성기의 일본이었다. 그러다 90년대부터 디지털 바람이 불어오자 일본으로서는 모방이 불가능해졌다. 모방은 아날로그 시대까지만이다. 디지털 시대 제일의 코드는 '창의력'이다.

언젠가 일본인들로부터 들은 이야기가 있다. 고 정주영 회장이 소떼를 몰고 휴전선을 넘는 것을 보고 그들은 큰 감동을 받은 모양이었다. 굳이 휴전선을 열지 않으려는 북한, 기어이 상징적으로라도 휴전선을 넘으려는 정 회장. 그러다가 정 회장의 머리에서 나온 발상이 소떼였던 것이다. 그 많은 소떼를 비행기로 실어 나를 수는 없는 것. 북한도 휴전선을 열지 않을 수 없었던 것이다.

디지털 시대의 또 다른 코드, 수평 네트워크

디지털 시대의 또 다른 특징은 수평 네트워크다. 수평 네트워크에서는 이를 선도한 자가 전리품 모두를 갖게 된다. 하나의 영역을 선도한 자가 네트워크를 차지해버리면 후발은 여기에 참여할 방법 자체가 봉쇄되기 때문이다. 마이크로소프트의 소프트웨어가 세계에서 가장 우수하기 때문에 모든 사람들이 쓰고 있는 게 아니라 먼저 네트워크를 차지했기 때문이며, 다른 후발 소프트웨어는 호환이 되지 않기 때문에 무용지물이 되고 만다는 것이다. 마이크로소프트의 윈도windows가 아날로그 상품이었다면 벌써 일본의 모방상품이 세계를 지배했을 것이다.

한 가지 예를 더 보자. 비디오 싸움에서 소니Sony가 진 것은 기술이 모자라서가 아니었다. 먼저 개발하고 더 나은 기술을 가졌던 소니가 빅터Victor에 진 것은 기술 때문이 아니라 네트워크를 차지하지 못했기 때문이다. 좀더 자세히 보면, 소니는 이 기술로 전 세계 비디오 시장을 석권하려는 야심에 기술을 공개하지 않았지만 후발로 뛰어든 빅터는 그 불리함을 극복하기 위해 기술을 공개해버렸다. 누구나 쓰라고 했던 것이다. 그러자 세계 비디오 제조업체들은 하나 둘 VHS 방식을 택하기 시작했고, 이것이 세계의 표준이 되어 수평적인 네트워크를 구축하게 된 것이다. 그러자 호환성이 없는 소니의 베타β 방식은 아무런 쓸모가 없게 되었다. 디지털 시대의 첫 번째 코드가 '창의력'이라면 두 번째 코드는 '네트워크 개념'이다. 앞선 개념의 창업을 준비하는 사람이라면 '창의력'과 '네트워크 개념'을 숙지해야 한다.

불황 역시 창업의 좋은 기회다

역설적이지만 불황은 창업하기에 가장 좋은 여건이다. 먼저 세계적인 불황의 조짐들을 살펴보자. 미국은 90년대부터 벤처 붐으로 대표되는 정보, 통신 분야의 활성화로 10여 년 동안 사상 초유의 호황을 누렸지만 벤처 거품이 빠지면서 장기 불황의 늪에 빠져 있는 데다가 9·11 테러 이후 막대한 재정 적자로 언제쯤 회복될 수 있을지 예측하기 어려운 처지에 놓여 있다. 일본은 좀더 심각하다. 70~80년대에 전 산업 부분에서 미국을 위협할 정도로 성장했던 일본 경제는 새로운 주류로 떠오른 디지털 시대의 조류를 소화해내지 못하게 되자 20년 가까운 불황에 빠져 있다. 게다가 한창 잘 나가리라던 중국 경제는 사스SARS라는 복병을 만나 휘청거릴 정도가 되었다. 대외 의존도가 절대적인 우리나라 역시 짧으면 5년, 길면 10여 년 가까이 불황에 빠질 것이라는 진단이 조심스럽게 나오고 있다. 여기에 북핵 문제의 향방도 우리나라 경제의 또 다른 변수인 외국인 투자 철수 등 악재로 작용하고 있으며 제2의 IMF가 우려되는 시점이다.

그러나 위대한 창업 아이템은 대부분 불황기에 나타났다. 마이크로소프트, 월트디즈니, 아이비엠IBM, 제너럴일렉트릭GE, 휴렛팩커드, 코닥, AT&T, 3M 등의 기업들이 모두 극도의 불황기에 창업한 기업들이다. 월트디즈니의 사례는 우리에게 가슴 뭉클하게 다가온다. 월트디즈니가 탄생한 것은 대공황 직전의 불황기였다. 헐리우드의 알량한 단역 배우였던 월트디즈니는 불황이 심화되자 그나마 일자리를 잃고서 오갈 데가 없어 헐리우드의 한 창고에 기거하게 되었다. 그런데 밤이면 생쥐들이 들락거려 잠을 이룰 수가 없었다. 잠자는 것을 포기한 그는 자리에서 일어나 생쥐들을 그리기 시작했다. 이렇게 그린 만화가 그 유명한 미키마우스였다. 미국 벤처기업의 효시라 할 수 있는 휴렛팩커드 역시 불황의 흔적이 길게 드리웠던 1938년에 창업했으며 빌 게이츠 역시 1975년의 불황기에 사업을 시작했다. 다우존스 상위 30대 기업 중 16개가 불황기에 창업한 것이라고 알려졌다.

불황기에 위대한 창업이 많은 이유는 무엇일까? 경기가 호황일 때는 사람들이 굳이 힘든 창업전선에 뛰어들려 하지 않는다. 사서 고생할 필요가 없다는 것이다. 설사 창업을 한다 해도 자신이 경험한 분야를 응용한 유사 창업이 대부분이다. 그래서 호경기에는 획기적인 아이템이 등장하기 어렵다. 그러나 불황기가 되면 문제가 달라진다. 당장 먹고살 방책을 강구해야 하는 실업자들로서는 돈 없이 할 수 있는 게 없을까 하고 머리를 짜내게 되고, 다소 엉뚱하지만 돈 없이 할 수 있을 거라고 생각되는 아이템이 떠오르면 밑져야 본전이라는 생각으로 창업에 뛰어든다는 것이다. 그래서 불황기에 위대한 창업 아이템이 나타난다.

굳이 첨언한다면 불황기에는 창업 비용이 훨씬 저렴하다는 장점도 있다. 경기가 좋을 때는 비싼 사무실 비용과 임금이 들지만 불황기에는 훨씬 유리한 조건으로 시작할 수 있다. 아무도 하지 않은 사업, 아이디어 사업일수록 자본이 적게 든다. 우리나라에서 간판 닦는 일을 처음으로 시작한 사람은 소자본으로 시작했지만 이제는 체인점에 가입하려고만 해도 몇 천만 원의 돈이 필요하다. 우리나라의 경우는 지금 세계 1, 2위를 다툴 정도의 든든한 IT산업 하부구조infrastructure를 갖추고 있다. 이는 어느 한 분야의 전문지식과 IT산업의 인프라를 이용하면 얼마든지 혁신적인 창업이 가능하다는 의미일 것이다.

기이한 인연의 세 경제학자

20세기에 가장 큰 영향을 끼친 경제학자 세 사람을 들라면 아마도 마르크스K. Marx와 케인즈J. M. Keynes, 그리고 슘페터J. A. Schumpeter일 것이다. 기이한 인연이라는 것은 마르크스가 사망한 해인 1883년에 케인즈와 슘페터가 동시에 태어났다는 것이다. 마르크스의 사회주의가 두 이론가에 의해 뒤집어지는 것을 상징적으로 보여주는 사건이 아닌가 생각된다.

케인즈의 이론이 20세기 세 번째 4반세기인 1970년까지를 지배했다면, 마지막 4반세기인 1970년대 이후부터 21세기 문턱까지의 불확실했던 시대를 지배한 이론은 슘페터의 이론이었다. 케인즈가 수요에 중점을 두는 유효수요 이론으로 대공황의 늪에 빠진 미국 경제를 살려냈다면, 슘페터는 공급을 중시하는 창조적 파괴 이론으로 70~80년대의 침체된 미국 경제를 살려낸 경제학자다.

슘페터는 동일한 패턴의 수요와 공급이 반복되는 정태적인 순환 사이클에서는 발전이 일어나지 않는다고 지적했다. 수만 년 동안 동일한 삶의 패턴을 반복해온 별들은 지금도 거기에서 한 발자국도 나아가지 못하고 있다는 것이다. 그는, 경제가 발전하려면 수요의 측면보다는 공급의 측면이 좀더 중요하고 이를 위해서는 정태적인 순환 사이클을 깨뜨리지 않으면 안 되며, 이를 위해서는 리스크risk를 무릅쓰고 도전할 수 있는 기업가 정신에 의해서만 경제가 발전될 수 있다는 '창조적 파괴' 이론을 제시하였다.

아날로그 시대에 가장 필요한 이론이 연속적인 개념의 논리였다면 디지털 시대에는 다분히 불연속적인 창조적 파괴가 중시된다. 이는 기존 질서에 대한 종속을 거부하려는 우리나라 젊은이들의 기상과도 잘 맞아떨어지는 게 아닌가 생각된다.

필자는 그러한 정신을 운동권 출신 벤처기업가들에게서 찾을 수 있다고 생각한다. 우리나라에서 잘 나간다는 벤처기업 중에는 이상하게도 운동권 출신 CEO들이 많다. 우리나라 벤처 초기의 떠오르는 신화였던 골드뱅크의 김진호 사장, 광고를 보면 돈을 준다는 아이디어로 벤처기업을 세웠던 그도 운동권 출신이다. 그에 대한 일화는 더 많다. 인터넷 중심의 벤처 하면 인터넷 전문가쯤으로 생각하겠지만 그는 사업을 시작하기 전만 해도 컴맹이었다. 기술적인 것은 전문가에게 맡기면 되고, 아이디어만이 문제가 된다는 것이다.

핸드폰, 전지 생산업체인 바이어블코리아의 이철상 사장은 서울대 학생회장 출신으로 운동권 중에서도 핵심이었던 전대협 의장 출신이다. 서울대 국사학과 출신으로 수시로 감방을 드나들었던 최민 씨, 그는 데이터베이스를 구축해주는 오픈에스이의 사장이다. 더구나 그는 휠체어에 몸을 맡기고 다니는 중증 장애인이다. 그의 성공은 장애인도 얼마든지 정상인보다 나은 활동을 할 수 있다는 것을 보여주는 사례다.

남파간첩 이선실이 주도한 중부 지역당 사건으로 구속돼 8년을 옥살이한 황인욱 씨는 인문학을 인터넷과 연결시킨 네튜티의 사장이다. 1998년 출옥한 후 컴퓨터 학원을 다니면서 인터넷을 배워 벤처기업을 설립한 것이다. 1991년 주사파의 이론가로 구속됐던 강철 씨 역시 인터넷 서점 알라딘의 사장으로 변신했다. 그 중에서도 나눔기술의 장영승 사장은 좀더 특이하다. 그는 미 문화원 방화사건의 주역으로 오랫동안 옥살이를 했다. 나눔이라는 사명 역시 안양 교도소 시절에 깨달은 단어다. 서울대 운동권 출신의 새턴창업투자 사장, 우진무역개발의 이화여대 운동권 출신 고연호 사장 등 무수히 많다.

이러한 현상을 어떻게 해석해야 할 것인가, 여러 가지 해석이 있을 수 있으나 이는 기존의 질서에 순응하는 게 아니라 변혁하려는 강한 집념의 국민성이 아니었을까 생각된다.

운동권이란 무엇인가? 사회는 변혁되어야 할 그 무엇으로 보는 게 그들의 입장이었을 것이다. 강한 개혁 의지, 그리고 불타는 집념과 행동력, 이런 정신으로 무장한 사람들이 바로 그들이었을 것이다. 자, 그들의 정신과 자세를 사회에 풀어 넣으면 그게 바로 벤처 같은 창업가의 정신이 아니겠는가. 그래서 창업을 하는 사람들은 운동권과 같아야 한다는 유행어가 나돌 정도다. 목표를 향한 집념, 어려움을 감내할 수 있는 강인한 정신력 등이 바로 창업가 정신이라는 것이다. 지금 우리는 가장 좋은 기회를 맞이하고 있다.

밑줄긋기

불황기에는 창업 비용이 적게 든다.
아무도 하지 않는 사업, 아이디어 사업일수록 자본이 적게 든다.

Chapter 2

창업 트렌드

디지털이라는 트렌드에 맞춰 나가려면 감성적, 감각적 접근이 그리고 세계적인 불황이라는 현실을 고려하여서는 합리적인 창업 접근이 필요하다.

창업 여건

지금 우리는 두 개의 큰 흐름 사이에 놓여 있다. 하나는 디지털이라는 트렌드이고 다른 하나는 세계적인 경기 불황이라는 현실적인 여건이다. 인터넷 인구가 1500만 명에 이를 정도로 디지털 선진국인 우리나라의 경우는 디지털이라는 사회, 문화적인 영향도 충분히 고려하지 않을 수 없고, 또 불황이라는 여건도 소홀히 할 수 없다. 이 두 가지는 다소 상반되는 접근을 요구하고 있어 창업의 방향을 어렵게 하고 있다. 디지털적인 요소가 다분히 감성적, 감각적인 접근을 요구하고 있는 반면에 세계적인 불황이라는 현실적 여건은 좀더 합리적인 접근을 요구하기 때문이다.

디지털 시대는 감성적인 소비자를 만들어낸다

한 시대를 지배하는 패러다임이 바뀌면 사람들, 즉 소비자들의 태도 역시 획기적으로 바뀐다. 아날로그 시대의 소비자들이 논리적, 합리적인 방식으로 접근했다면 디지털 세대들은 감성적, 감각적으로 접근한다. 디지털 시대에는 합리적이고 이성적인 가치보다는 감성적인 가치, 논리적인 구매보다는 감각적인 구매가 지배하게 된다. 이때의 소비자들은 머리와 눈으로 상품을 고르는 게 아니라 가슴으로 고르게 된다. 심지어는 상품의 본원적 가치보다 파생적 가치, 2차적 가치가 더 높게 평가되는 경우도 없지 않을 것이다. 따라서 디지털 시대의 상품은 비록 아날로그에 기반을 둔 아이템이라 해도 디지털적인 감성과 감각, 컨셉을 갖추지 않으면 성공할 수 없다. 그러나 반대로 스타벅스처럼 강한 감성적인 컨셉에 맞게 설계했을 경우는 가장 아날로그적인 커피숍이라도 큰 성공을 거둘 수 있다.

소비자는 불황기에 양극화된다

우리나라는 미국, 일본, 그리고 요즘에는 중국 경제에 절대적인 영향을 받고 있다. 대외 의존도를 나타내는 지표, 즉 총 GDP 중에서 수출입이 차지하는 비율이 70%에 육박하고 있어 성장, 고용, 소비 모든 것이 외부 여건에 의해 제어되지 않을 수 없는 실정이다. 가장 의존도가 큰 미국의 경우, 90년대 이래 10년 넘게 지속되어 오던 호경기가 끝나고 장기적인 침체 국면을 맞이하고 있다. 9·11 테러사건과 아프간, 이라크 등 두 차례의 전쟁은 막대한 재정 적자를 야기해 군수산업 등 일부를 제외하고는 불황의 문턱에 와 있다. 아직 회복의 기미를 보이지 않는 일본 경제, 가닥을 잡지 못하고 있는 북한 핵 문제는 세계 경제에 또 다른 불황의 그림자를 던져주고 있다. 그 외에도 가계부채 증가, 신용불량자 급증 등 전반적인 여건은 창업에 불리하게 작용하고 있다.

이에 전문가들은 소비자들의 양극화 현상을 전망한다. 세계적인 경기 불황에도 불구하고 상위 계층의 수입이나 씀씀이는 전혀 줄어들지 않으리라는 것이다. 오히려 불황일수록 과시적인 소비를 하기 때문에 부익부 빈익빈 현상이 좀더 두드러지게 나타나게 마련이다. 대부분의 소비자들이 대형 할인매장이나 알뜰매장을 찾는 동안 명품시장은 전보다 훨씬 높은 매출로 즐거운 비명을 지르고 있다. 결국 불황기의 소비자 계층구조는 일그러진 장구 또는 눈사람이나 오뚝이 모양을 하게 된다는 것이다. 따라서 전문가들은 창업의 선택도 확실하게 알뜰 위주로 가든지, 아니면 이미지 위주로 가는 게 유리하다는 지적이다.

밑줄긋기

불황기의 창업은 확실하게 알뜰 위주로 가든지 이미지 위주로 가야 한다.

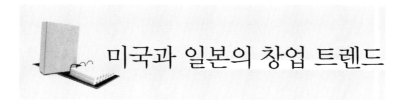

미국과 일본의 창업 트렌드

　미국에서 시작된 아이템은 몇 년의 시차를 두고 일본을 거쳐 우리나라로 들어오는 게 많다. 다만 일본을 거치는 동안 좀더 정교하게 가다듬어진다. 아날로그 기반의 기술 제품이라면 오리지널을 능가할 정도로 정교하게 리카피recopy하는 게 일본이다. 일본에서 독자적으로 개발된 아이템은 어쩌면 노래방 기기 정도가 아닌가 한다. 미국에서 태어난 아이템이 일본을 거쳐 우리나라로 들어오기까지는 보통 3~5년의 시간이 걸린다.

첨단기술 분야

　첨단기술 분야는 소규모 창업을 꿈꾸는 예비창업자와는 일단 관계가 없으나 간략히 언급해보자. 미국의 경우 90년대에 벤처 붐을 일으켰던 IT산업, 바이오 산업, 멀티미디어 산업 등 벤처기업들은 지난 몇 년 동안 거품이 꺼지면서 무늬만 벤처인 기업들이 정리되어 기반이 다져지고 제2의 도약기를 준비중이다. 이는 우리나라도 엇비슷한 실정이 아닌가 생각된다. 이런 가운데 최근 새로 등장한 아이템 중 눈길을 끄는 것은 디지털 영상 복제방지 기술이다. 인터넷에 오르는 디지털 영상자료의 무단 복제를 방지하고 유료화하기 위한 기술인데, 이것이 상용화될 경우 큰 시장 규모로 성장할 수 있을 것으로 보인다. 인터넷에 오르는 주요 정보, 자료의 유료화 시대도 멀지 않은 듯하다.

지금까지의 전형적인 벤처 아이템 외에 미국에 나타나고 있는 새로운 흐름 중 하나는 9·11 테러 이후 안전 문제에 대한 의식이 높아져 보안 아이템들이 초강세를 보이고 있다는 점이다. 그 중 하나가 보안문, 보안을 요하는 주요 건물이나 외국 공관 등이 주요 수요자들인데, 연평균 60%에 이르는 매출 증가를 보이고 있다. 세라믹을 이용한 방탄장비와 헬리콥터 방탄장비 등이 강세를 보인다. 개인용 안전장구 매출이 증가하고 있는 가운데 유사시 환자를 신속하게 병원으로 이송하면서 옮겨가는 동안에 응급조치를 해주는 기업 형태의 서비스도 속속 늘어나고 있다. 또 때아닌 워키토키업체가 호황을 맞고 있는데, 무선 전화가 터지지 않는 곳에서 동료들간에 교신할 수 있는 장비다.

인터넷 분야

벤처를 중심으로 하는 인터넷기업들은 지난 몇 년 동안의 침체에서 벗어나 서서히 회복세를 보이기 시작하는 반면, 인터넷을 기반으로 하는 소자본 창업은 여전히 활기를 띄고 있다. 이러한 추이는 일본에 이어서 한국으로 이어져 당분간 주류를 이룰 것이 분명하다.

인터넷 비즈니스 중 대표적인 것이 전자상거래인데, 한국전자통신연구원에 따르면 세계적으로 전자상거래 시장 규모는 2006년까지 매년 60% 이상 고도성장을 지속하리라는 전망이다. 이 중 미국을 주축으로 하는 북미 지역의 비중이 절반을 차지하고 있다. 전자상거래 중에서도 미국은 기업간의 거래인 BtoB 유형의 비즈니스가 강한 것이 특징이다. 이는 기업과 소비자간의 거래인 BtoC 중심의 우리나라와는 상반되는 추이다. (비즈니스 모델 BtoB, BtoC 등의 설명은 90쪽 참고) 전자상거래 외에 미국 인터넷 비즈니스의 또 하나의 특징은 오프라인의 각종 아이템들을 인터넷으로 옮기는 작업이 활발히 전개되고 있다는 점이다.

아웃소싱 아이템

사회가 분화될수록 아웃소싱 아이템이 활기를 찾는다. 아웃소싱outsourcing이란 기업의 기능 중 몇 가지를 그 부문의 경험을 가진 사람이 밖에서 대행해주는 일이다. 이는 다시 두 가지 유형으로 나뉜다. 하나는 내부에서 할 수 없을 정도로 전문적인 분야여서 밖으로 내는 경우이고, 다른 하나는 전문적인 분야는 아니지만 외부에서 조달하는 것이 훨씬 경제적인 경우다. 광고 대행사나 시장조사기관이 전자라면, 문구류나 비품 조달 등 단순 업무를 대행하는 경우가 후자에 속할 것이다.

몇 년 전부터는 총무부도 아웃소싱 대상에 들어 있다. 총무부 아웃소싱은 일본의 (주)총무부가 원조다. 총무부에서 하는 일이 회사의 자산 관리, 종업원 관리, 급여, 비품 조달 등인데, 여러 기업의 총무부 일을 아웃소싱하면 하나의 전산 프로그램으로 여러 회사의 업무를 모두 처리할 수 있다. 이것은 우리나라에도 들어온 아이템이다. 이들은 한·일 공동으로 총무부 없애기 캠페인을 벌이고 있는 중이다. 참고로 삼성물산도 총무부가 없는 기업으로 알려져 있다. 관련 업무 모두를 밖에서 조달하기 때문이다.

아웃소싱 기능이 가장 발달한 곳이 출판사일 것이다. 출판사에서는 원고는 외부 작가나 필자들에게, 편집은 편집대행사에, 필름, 인쇄, 제본, 홍보는 각기 전문업체에 맡기는 식으로 대부분의 일거리를 밖으로 내보낸다. 신간서적 홍보만을 전문으로 해주는 여산미디어는 이 분야의 선두주자 격이다. 완성된 책을 배포하고 수금까지 해주는 아웃소싱업체(개인)도 있다. 앞으로는 기업의 핵심적인 기능을 제외하고는 대부분이 아웃소싱에 의존하게 될 것으로 점치는 전문가들도 많다. 사회에서 어느 한 분야에 경험과 노하우를 가진 사람이라면 좋은 아이템으로 가다듬을 수 있을 것이다.

아이디어 사업

일본은 아이디어 사업의 본거지다. 온갖 앙증맞은 아이디어를 내는 나라가 일본이다. 요즘 일본에서는 한 아이디어맨이 개발한 시들지 않는 장미가 인기라고 한다. 말 그대로 2~3년 동안 시들지 않는 장미를 판다. 기술적인 원리는 비밀이나, 장미를 가장 아름다운 순간에 따서 특수 가공처리를 한다고 한다. 종류에 따라 3500엔, 1만 엔 두 가지로 파는데 연인들 사이의 선물 등으로 인기 폭발이라 한다.

업그레이드 분야

잘나가던 아이템들이 어느 순간 시들해지는 경우를 흔히 주변에서 볼 수 있다. 아이템 자체가 진부해지는 경우가 아니더라도 우후죽순 격으로 경쟁업체가 나타나 시장 자체를 진부하게 만드는 경우도 많다. 이제 이런 유형의 사업은 안 되겠구나 하고 있을 때 이의 리모델링 버전이 나오게 된다. 그러면 우리는 그걸 보고 아하! 하면서 자신의 우둔함을 탓하게 된다. 이런 깃들이 업그레이드 아이템들이다. 아이템의 진화라고나 할까. 업그레이드 창업의 전형적인 사례는 스타벅스 커피가 아닐까 한다.

체인점 분야

미국은 체인점 왕국이다. 하나의 아이템이 성공했다 하면 거의가 체인점 형태로 전개된다. 미국에 체인점이 많은 이유는 땅이 넓기 때문이다. 하나의 성공한 아이템이 큰 자본 없이 전국적으로 유통되기 위해서는 체인점만이 가능하다는 것이다. 또 다른 이유는 노동시장의 유연성 때문이다. 해고가 자유로운 나라 미국은 언제든지 실업자가 양산될 수 있는 시스템이므로 이들이 단기간에 소자본으로 참여할 수 있는 분야가 체인점 형태의 사업이다. 체인점 활성화는 노동의 유연성 확보를 위해서도 필요한 구조라는 의미다.

최근에 창업되는 체인점들은 정신적 여유, 편안함, 성숙을 테마로 하는 이른바 테마 체인점들이 속속 늘어나고 있다. 3R로 불리는 Richness(풍요로움), Ripening(성숙), Rest(여유)다. 헬스클럽이라 해도 그냥 헬스클럽이 아니라 연극을 하듯이 신바람 나게 운동을 한다거나 춤, 음악 등 다양한 장르를 헬스와 결합시킨 형태로 진화해간다. 기존의 아이템에 어떤 가치나 철학, 테마를 더한 일종의 업그레이드 산업으로 보면 된다.

DIY 분야

미국인들은 DIY를 유난히 좋아한다. "Do it yourself!"의 약자로, 스스로 무언가를 만들고 고치고 조립하는 일이다. 미국인들의 이러한 취향을 위해 체인점만도 수없이 많다. 아이들 책상 하나를 만들어주더라도 아빠가 직접 조립해주는 것이 훨씬 더 뿌듯하지 않을까. 물론 가격은 절반이다. 업자로서는 공간비용이 훨씬 적게 든다고 한다. 이들을 위한 공구세트 체인점도 수없이 많다. 미국의 소자본 창업 유망업종 랭킹 2위를 기록한 아이템은 DIY와 각종 수리에 필요한 도구, 장비, 연장을 판매하는 체인점이다. 그 정도로 미국인들은 무언가를 자신의 손으로 만드는 것을 좋아한다.

건강 분야

재즈와 에어로빅을 결합한 건강 프로그램도 소자본 창업 랭킹 10위에 들고 있다. 미국에서 일고 있는 요가와 명상 붐도 이 시장의 잠재력을 키우고 있는 중이다. 미국, 일본에서는 건강 산업의 연장선으로 금연 보조제 시장이 빠른 속도로 늘어나고 있다. 우리나라에 등장한 담배 모양의 보조제 역시 마찬가지다. 다이어트 열풍은 어제오늘의 일이 아니지만, 최근 미국에 등장한 다이어트 아이템으로는 다이어트 식사만 공급해주는 아이템이 빠르게 성장하고 있다. 다이어트의 핵심은 실천이다. 알고는 있지만 실천하기 힘든 것이 다이어트다. 이 아이템의 핵심은 환자의 상태를 수시로 체크하면서 개인별 맞춤식사를 제공해주는 데 있다. 고객은 이를 전자레인지에 데워 먹기만 하면 된다. 이 밖에 인공적인 선탠 프랜차이즈, 발관리 전문점, 당뇨병 환자들만을 위한 전용 식당 등이 호황을 맞고 있다는 소식이다.

맞춤 분야

근래에 들어 남들이 가지는 것을 나도 갖는 게 아니라 나만의 것을 가지려는 맞춤 아이템들이 빠르게 성장하고 있다. 초창기 온라인상에서 컴퓨터를 판다는 기발한 발상으로 이 일을 시작한 델 컴퓨터Del Computer는 컴퓨터의 모든 옵션을 구입자 스스로 선택하게 하는 방식으로 출발하여 미국 전역의 오프라인 기업들을 제치고 정상에 오른 기업이다.

이제는 운동화, 의류, 화장품, 자동차 등 다양한 분야로 확산되고 있다. 의류라면 인터넷상에서 소재와 컬러, 디자인, 액세서리 등 모든 것을 자신이 직접 선택하는 것이다. 의류의 경우 소비자들이 선택할 수 있는 옵션이 무려 몇 십 가지나 되는 사례도 있다고 한다. 청바지 메이커 리바이스Levis의 경우, 바지를 고르는 것부터 특정 신체 부위의 모양새, 색상, 신체 부분별 사이즈 등을 선택하면 입었을 때의 앞모습과 뒷모습까지 보여준다. 회사로서는 이렇게 함으로써 소비자들의 기호가 어떻게 변해가는지 알 수 있는 중요한 정보를 얻게 되는 것이다.

3D 분야

이제 미국에서는 청소를 비롯해 3D에 해당되는 업종은 거의 대행에 의존하고 있다. 2003년 워싱턴에서 열린 프랜차이즈 엑스포에 나온 아이템들을 보면 3D 분야가 가장 많이 눈에 띄었다. 건물 청소, 카펫 청소, 간판 청소, 택배, 하수, 누수방지, 건물 리모델링, 화장실 청소 등 다양하다.

3D는 큰 자본 없이 창업이 가능한 분야기에 아직 기회가 많다. 이를 반영하듯 미국의 소자본 창업 아이템 랭킹 10위에는 청소 등 3D 아이템이 5개나 올라 있을 정도다. 1위인 자니킹은 1974년에 문을 연 이래 이제는 전세계적으로 9500개의 프랜차이즈를 가지고 있는 다국적기업 규모로 성장했다. 건물 외에도 지하철이나 세븐일레븐, 맥도널드 등의 청소 용역을 맡고 있다.

어린이 산업

엔젤, 즉 어린이 관련 사업은 불황기에도 생명력이 강하며 소득이 높아질수록 가속적으로 시장이 커지는 특징을 가지고 있다. 교육, 보호, 이동 등의 아이템이 주류를 이룬다. 최근 미국에서는 방과후 혼자 있는 아이들을 위해 부모가 집에 올 때까지 숙제를 도와주고 함께 놀아주는 프로그램이 체인점 형태로 전개되고 있다. 어린이 보호 프로그램도 있다. 학교가 끝나는 시간부터 학원 등을 거쳐 집으로 돌아올 때까지의 시간 동안 이동과 보호를 책

임지는 프로그램이다. 아이와 부모의 정보를 사진과 함께 반도체 칩에 입력하여 어떤 긴급 상황에서도 아이의 정보를 열람할 수 있게 해주는 프로그램이다.

실버 산업

실버 산업은 미국, 일본, 유럽에서는 큰 시장 규모로 성장하고 있다. 실버전용 병원이 생기는가 하면 각종 복지시설, 건강보조기구, 용품, 식품 시장이 꾸준한 성장세를 보이고 있다. 그리고 우리나라보다 20~30년 정도 앞서 있다. 이제 우리나라도 실버 산업이 국가 차원에서도 본격화되지 않을 수 없는 여건에 들어섰다. 급증하는 노년층 인구 때문이다. 노년층 증가율이 OECD 국가 중 최고 수준이다. 전문가들은 우리나라 실버 산업의 시장 규모가 2010년에 40조 원에 이를 것으로 보고 있다. 무한한 잠재력을 가진 시장으로 평가된다.

실버 아이템들을 살펴보면 건강, 의료 서비스, 노인전용 병·의원, 식당, 공연장, 건강식품, 화장품, 각종 보조기구와 홈케어 서비스 일체가 포함된다. 독일의 세계적인 기업 중에 바이에르스도르프라는 회사가 있다. 이 회사는 몇 년 전에 노인 전용 화장품 '니베아 바이탈'을 출시하면서 52세 여성을 모델로 등장시켜 최고령 화장품 모델 기록을 세웠는데, 이것이 대대적인 성공을 거두었다. 노인들을 위한 전용 상품이 없었기 때문이다.

실버 산업이라 하여 많은 자본이 들어가는 경우만 있는 것도 아니다. 미국과 일본에서는 실버 도우미 같은 틈새 아이템도 뜨고 있다. 여기서는 노인을 위한 비의료 분야의 모든 서비스를 제공해준다. 이야기 상대 해주기, 가벼운 집안일 돕기, 은행이나 우체국 다녀오기, 애완동물 보살피기 등이다. 홀로 된 노인들을 위해 실버 커플을 만들어주는 기업도 생겨나 짭짤한 재미를 보고 있다는 소식이다. 이른바 노년층 전문 중매회사다. 실버 산업의 또 하나의 특징은 굴곡이 없다는 점이다. 또, 잘만 하면 국가적인 차원의 지원을 받을 수 있다는 점도 장점으로 꼽힌다.

애완견 사업

우리나라에도 애완견 사업이 붐을 타고 있지만 미국은 애완견에 관한 한 세계적인 시장이다. 국민 4명 당 1명이 애완견을 키우고 있으며, 애완견을 키우느라 미국인들이 지출하는 돈은 300억 달러에 이른다고 한다. 최근 미국에서는 애완견 훈련 서비스가 등장하여 빠르게 성장하고 있다. 가정을 방문하여 애완견을 훈련시키는 것으로, 미국, 호주, 뉴질랜드, 영국 등지에서 프랜차이즈로 운영되고 있으며 현재 15만 마리의 애견을 훈련중이라고 한다.

배달 분야

미국과 일본, 유럽에서 트렌드로 자리잡은 아이템 중에는 배달을 빼놓을 수 없다. 첨단 아이템과 몸으로 때우는 아이템이 공존하는 것이 소규모 창업 분야다. 배달업에는 퀵서비스 같은 단순 심부름업종과 자체 아이템을 자체적인 시스템으로 배달해주는 아이템 등 두 가지로 분류할 수 있다. 두 분야 모두 빠르게 성장하고 있다. 단순 심부름은 주로 전자상거래가 늘어나면서 수요가 늘어나는 아이템이고, 독자적인 아이템 배달은 일종의 맞춤 서비스다. 다이어트 식단을 매일 배달해주는 것 같은 식이다. 지난 몇 년 사이 우리나라에도 이같은 아이템들이 본격적으로 등장하고 있다. 아침식사 준비가 마땅찮은 주부들을 위한 국배달 서비스 등이 그러하다. 이 분야 역시 우리나라에서도 소자본 창업 시장의 유망업종으로 떠오르고 있다.

틈새시장

소자본으로 할 수 있는 가장 좋은 아이템은 틈새 사업이다. 변화의 와중에는 늘 틈새가 있게 마련이다. 평소 조금이라도 불편하다고 생각되는 분야에는 곧 틈새시장이 자리잡게 된다.

최근 미국에 등장한 책 읽어주는 오디오가 그러한 예의 하나일 것이다. 예를 들면 운전을 하면서 또는 집안일을 하면서 오디오를 통해 유명 작품이나 자신의 관심 분야의 독서를 할 수 있다는 것이다. 한 아이디어맨이 생각한 오디오북의 시장 규모는 미국에서만 14억 달러에 이른다고 한다. 물론 이를 처음 선도한 사람은 탄탄한 기업을 일구었다. 한때 우리나라에도 유사 아이템이 등장한 적이 있었다. 우리나라의 사례는 일반적인 책이 아니라, 고시 준비생들을 위해 육법전서를 녹음한 테이프였다. 늘 시간이 없는 고시생들에게 차를 타고 가면서 휴식을 취할 때 등 틈만 나면 틀어놓고 육법전서를 들을 수 있는 아이템이다.

이번에는 비디오 아이템을 살펴보자. 미국이나 일본에서 비디오는 거의 한물 건너간 아이템이다. 이는 우리나라도 마찬가지다. 이런 곳에서 틈새시장 또는 업그레이드 아이템이 나타나는 법이다. 미국의 최근 동향은 주제별 비디오의 등장이다. 모든 비디오를 다 취급하는 게 아니라 주제별로 취급한다. 자동차 수리, 미용, 육아, 비즈니스, 컴퓨터, 요리, 다이어트, 음악, 애완동물, 여행 등으로 압축된 주제별 비디오만 취급하는 것이다. 이것이 투자비를 줄일 수 있고 단골 확보에도 유리하기 때문이다. 가게 주인이 어느 한 주제에 관해 일가견을 가지고 있어서 고객들에게 지도까지 해줄 수 있다면 금상첨화다.

여기서 좀더 나아간 아이템이 우리나라에도 등장했다. 아예 가게를 없애고 이동 차량으로 대여와 회수를 겸하는 방법이다. 다이어트 관련 주제라면 매일 차량으로 도시를 한 바퀴씩 돌면서 대여와 회수, 다이어트 상담까지 겸한다. 주문은 인터넷이나 전화 등을 통해 받는 방법이다.

얼마 전 미국에 등장한 마켓커넥션market connection은 직원 몇 명을 데리고 대기업들의 신상품을 홍보해주는 일을 하는 곳이다. 글자 그대로 신제품과 시장을 연결시켜주는 것이다. 이런 일을 하는 곳은 여러 군데 있지만 이들의 특징은 휴가지에 온 사람들만을 대상으로 샘플을 나누어준다는 점이다. 마이애미나 라스베이거스 등이 이들의 활동 무대다. 휴가를 떠나는 사람들은 티슈나 치약, 상비약, 필름 등을 잊기 십상일 뿐 아니라 필름 등은 소비량이 많다. 이들에게 그런 신제품 샘플을 나누어 준다면 효과는 100%일 것이다. 또 휴가지에서는 시간이 넉넉하다. 평소 같으면 그냥 지나쳐 버릴 샘플이라도 휴가지에서는 사용 설명서까지 꼼꼼히 읽어보게 된다는 것이다. 나누어 주는 방법도 일일이 사람들을 찾아다니며 나누어 주는 게 아니라 계약을 맺은 숙박업소에 투입하면 그만이다. 그러면 실제 사용비율도 아주 높다고 한다. 이들이 일약 유명해지자 P&G, 유니레버, 코닥, 코티, 다이얼 등의 쟁쟁한 기업들이 고객으로 참여하고 있다는 소식이다. 이런 것이 틈새시장이다. 그리고 틈새시장은 언제고 있게 마련이다.

마지막으로 일본의 '딱 한잔!' 술집을 살펴보기로 하자. 어디들어가서 마시기는 그렇고, 그냥 집으로 들어가자니 섭섭한 퇴근길의 샐러리맨들 혼자서 또는 동료들과 못다 한 이야기를 나누면서 딱 한잔!을 마시는 곳이다. 의자도 없어 서서 마셔야 한다. 안

주도 싸다. 술값을 포함해서 1000엔이다. 한때 우리나라에 등장했던 초창기 호프집 '베어스'와 흡사하다 할 수 있다. 역세권 등에서 미니 형태로 창업하면 좋을 아이템이다. 서울에서 가끔 볼 수 있는 '서서갈비'도 이와 유사한 컨셉이다. 드럼통을 잘라 만든 화로에 갈비를 구워 한 잔씩 마시는 아이템인데, 다른 음식점에는 퇴근시간에나 손님이 들지만 여기에는 낮부터 손님이 몰려든다. 접근의 편의성이 강점이다. 그런 점에서 우리나라의 포장마차들은 초창기의 낭만은 사라진 지 오래고 먹을 것도 없으면서 지나치게 돈내음을 풍기고 있다. 이런 아이템은 업그레이드가 자리할 공간인 것이다.

밑줄긋기

변화의 와중에는 반드시 틈새가 있다.

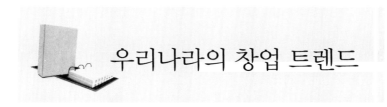

우리나라의 창업 트렌드

1. 수요의 측면

창업 트렌드를 보기 앞서 먼저 수요의 측면을 살펴보기로 하자.

수요의 양극화

일부에서는 지금이 IMF 때보다 더 어렵다는 말을 하기도 한다. 불황이 좀더 심화될 경우 기업들은 구조조정에 박차를 가할 것이고, 이들이 소비력을 잃으면 제2의 IMF 사태가 올지도 모른다.

요즘 불황의 특징은 소비자 양극화 현상을 낳는 것이다. 경기 침체가 지속되면 전반적으로 수요가 위축되면서 실용성 위주의 알뜰구매가 자리하거나 아예 구매 자체를 미루게 된다. 그러나 일부 부유층에서는 금융소득이 늘어나 오히려 사치성 소비가 늘어난다. 이는 IMF 시절에 우리가 경험한 바다. 젊은이들 사이에서 명품 아이템이 크게 인기를 끌고 있고 고가, 고품격 아이템은 경기와 상관없이 여전히 호황을 누리고 있다. 결국 경기 둔화는 다수의 합리적인 소비자와 소수의 과소비로 양분된다는 것이다.

일반적으로 소비자의 계층 구조는 경기가 좋을 때는 상위 5%의 스키밍skimming층, 다음 15%의 이노베이션innovation층, 35%의 활로우어follower층, 그리고 45%의 페네트레이션penetration층으로 구분된다. 아이템 선정이나 상권을 연구할 때에도 참고했으면 하는 이론이다. 나의 아이템으로 어느 계층을 핵심목표 계층으로 삼을 것인가 하는 문제다. 이러한 구조에서 경기가 나빠지면 이노베이션층과 활로우어층은 줄어드는 반면, 스키밍층과 페너트레이션층은 오히려 늘어난다는 것이다. 스키밍층은 최고의 명품이 아니면 사지 않을 뿐 아니라 경기가 나빠지면 오히려 과시 소비를 늘리는 층이며, 페너트레이션층은 아무리 물건이 좋아도 가격이 싸지 않으면 사지 않는 계층이다. 따라서 불경기가 깊어지면 소비자들의 구조는 허리가 잘록하게 일그러진 오뚝이 모양이나 기형적인 장구 모양으로 나타나게 된다.

'나만의 개성'을 추구하는 맞춤형 시대

디지털 시대는 개성의 시대다. 상품도 아날로그 시대처럼 일률적으로 찍어낸 것이 아닌 나만을 위한 맞춤 상품을 원한다는 것이다. 맞춤 비디오, 나만의 프로필 사진, 다양한 헤어 컬러링 등이 신세대의 트렌드다. 따라서 신세대를 목표 계층으로 하는 아이템이라면 가격이 싸다고만 팔리는 게 아니라, 가격이 저렴하면서도 나만의 무엇을 줄 수 있는 배려가 필요하다는 것이다. 기능적 소비자에서 기호적 소비자로의 변화다.

레저·스포츠의 활성화

주5일 근무제가 정착되면 여행, 레저, 스포츠 등 여가활동이 늘어나고, 다른 한편으로는 자기계발에 돈과 시간을 할애한다. 다양한 여행상품이 등장하게 되고 레저가 활성화될 것이다. 여행도 구경만 하는 여행에서 체험 여행의 비중이 높아지고, 각종 레저용품의 대여도 활성화된다. 가방, 캠코더 등 신혼여행용품 일체를 대여해주는 곳이나 캠핑용 자동차를 비롯 등산, 낚시, 스킨스쿠버 장비 등을 빌려주는 곳이 활기를 띨 전망이다. 일본의 경우를 보면 주5일제가 정착되면 스포츠 참여율이 높아지고 도심에서 가까운 산사의 명상훈련 프로그램들이 부쩍 늘어난다고 한다. 또 남아도는 시간에 무엇을 배우거나 취미활동을 하는 인구가 늘어난다. 각종 학원, 자격증, 수공예, 애완동물 관련 산업이 활기를 띨 것으로 예상된다. CD나 도서, 비디오 대여점도 도움이 된다. 또 여자들은 미용과 몸매 관리에 더 많은 돈과 시간을

지출하게 된다. 다이어트 센터나 심층 피부관리, 골프 클리닉 등이 여기에 속한다. 주5일 근무제의 확산은 이런 분야의 아이템에는 크게 도움이 되지만 도심의 샐러리맨을 대상으로 하는 아이템에는 적지 않은 영향을 미칠 것으로 보인다. 창업을 할 때는 이의 확산 효과도 고려해야 할 것이다.

인터넷 구매의 영향

인터넷의 생활화는 소비 트렌드에 큰 영향을 끼쳤다. 요즘 직장을 가진 주부들의 경우 직장에서 인터넷을 통해 쇼핑을 하는 것을 일상적으로 볼 수 있다. 일상적인 상품, 반복적으로 구매하는 상품, 시간 절약적인 상품, 무차별적인 상품의 상당 부분이 인터넷 구매로 대체될 것으로 보인다. 따라서 인터넷을 통한 쇼핑몰 창업을 고려하는 사람들에게 일단은 희소식일 수 있으나 경쟁은 오프라인에서보다 훨씬 더 치열할 것이다. 우선 수많은 인터넷 사이트가 등장하면서 웬만해서는 주소를 알리기도 힘이 든다. 주소를 알린다 해도 동종상품을 취급하는 경쟁자들의 가격이나 조건이 한눈에 비교되기 때문에 마케팅 분야에 적지 않은 노력을 기울여야 할 것으로 보인다.

시간 절약형 아이템의 증가

불황은 맞벌이 부부의 증가를 가져오고 이는 다시 새로운 틈새 아이템이 자리할 공간을 낳고 있다. 인력파견, 베이비 시터, 애견 관련 아이템, 국배달 같은 시간 절약형 아이템 그리고 아이들의 보살핌과 교육을 겸하는 아이템들이 그러하다.

저가상품의 활성화

경기가 나빠지면 양주 소비가 줄어들고 소주 소비가 늘어난다. 최근 소주 소비가 10% 가까이 늘어난 반면, 룸살롱 등 많은 업소의 경우 양주 소비는 10% 정도 줄었다고 한다. 양주 소비량 감소는 IMF 당시에도 없었던 일이다. 라면 판매도 늘어나고 있다. 업계에 따르면 라면 판매는 10% 이상 늘어났다고 한다. 소주, 라면뿐 아니라 각종 중고품 시장이나 헌책방, 공동구매나 회원제 아이템 등이 강세를 보일 것으로 전망된다. 우리나라에는 아직 공동구매나 중고품 시장이 그리 활성화되지 않고 있는데, 이 부분에 대한 연구도 필요하다.

고령화 시대

우리나라 노령 인구는 10%대에 육박하고 있다. 시장 규모도 20조 원에 이르는 것으로 알려지고 있다. 노인 인구의 증가는 이들의 주거, 휴식, 의료, 생활 지원, 여가 등의 산업에 활기를 불어넣을 것으로 보인다.

2. 공급의 측면

제2의 벤처 붐

IMF 이후에 우후죽순처럼 나타났던 벤처 1세대 기업들 중에는 본연의 일보다는 코스닥 등록을 거쳐 일확천금을 노리는 다분히 무늬만 벤처인 기업들이 상당 부분이었다. 이제 그 거품이 사라진 위에 제2의 벤처 붐이 일고 있다. 이들은 크게 탄탄한 기술력을 바탕으로 하는 엔지니어링 창업과 웹web을 기반으로 하는 인터넷 아이템, 그리고 기존의 아날로그 아이템에 새로운 개념을 가미하는 업그레이드 창업으로 분류되고 있다. 미국에서처럼 인터넷 기반의 소규모 창업들이 수년 간 활기를 띨 것으로 전망된다.

창업 시장의 이원화 추세

소비자의 이원화 추이에 맞춰 창업도 이원화되고 있다. 부익부 빈익빈 현상이다. 따라서 한 편으로는 알뜰형, 가격파괴형 아이템이 등장하는가 하면 다른 한 편으로는 네일아트, 허브 전문점, 애완동물 백화점, 파티복 대여점 등 고급 아이템 시장도 여전히 증가하고 있다.

고학력 창업

근래에 고학력 창업이 본격화되는 경향이 두드러지게 나타나고 있다. 이는 졸업 후 어려운 취업난을 피해 창업을 하려는 신세대들과 사회에서 어느 한 분야의 전문지식을 습득한 후 이를 기반으로 하는 이들의 창업으로 다시 나누어진다. 소호진흥협회가 조사한 바에 따르면 예비창업자의 60% 정도가 30대 이하였다고 밝히고 있어 대졸 미취업자가 대거 창업 시장으로 몰려들고 있음을 알 수 있다. 구조조정으로 인해 불가피하게 생업 전선에 뛰어든 생계형 창업도 적지 않을 것으로 보인다.

아이디어 창업

젊은이들 사이에서 많이 나타나는 창업 유형으로 엔지니어링 분야의 전문 기술은 없지만 참신한 아이디어를 인터넷과 결합한 반짝이는 아이템들이 본격적으로 나타나고 있다. 젊은이들뿐 아니라 일반인들도 아이디어 창업을 가장 많이 꿈꾸고 있다고 한다. 한 일간지에서 예비창업자들을 대상으로 실시한 조사에 의하면 창업을 꿈꾸는 사람들의 30%가 아이디어 사업을 선호했으며 다음으로 서비스(26%), 외식(15%), 도소매업(12%) 등인 것으로 나타났다. 아이디어 사업을 선호하는 이유는 자본이 적게 들고, 일단 성공을 하면 많은 돈을 벌 수 있으리라는 기대 때문인 것으로 나타났다.

업그레이드 창업

새로운 아이템이 아니라 기존의 아이템을 한층 고급화시킨 아이템을 말한다. 스타벅스 같은 커피점이 대표적일 것이다. 카페형 삼겹살집이 등장하는가 하면 호텔 로비를 연상케 하는 PC방도 등장하고 있다. 더덕을 넣은 순대, 유산균 삼겹살, 저온숙성 과일 등이 여기에 속하며, 훨씬 비싼 가격에 팔리고 있다. 우리 주위에서 흔히 볼 수 있을 정도로 보급된 아이템이라면 그대로 창업해서는 늦은 것이다. 반면 적절히 업그레이드시킬 수만 있다면 새로운 주류로 등장할 수도 있을 것이다. 성장기를 지난 아이템을 고려하는 경우에는 새로운 개념에 의한 업그레이드를 시키지 않으면 진부해지게 마련이다.

테이크아웃 전문점

지난 몇 년 동안 테이크아웃이 하나의 유행처럼 도심지역을 강타하고 있다. 커피뿐 아니라 샌드위치, 중국 음식, 프랑스 요리까지 테이크아웃에 합류하고 있다. 합리성과 젊은 세대들의 취향을 고려한 것이다.

어린이 산업

불황의 여파는 의외로 어린이 산업을 호황으로 이끌고 있다. 어린이 영어학원, 영어듣기학원, 방문 피아노 교육, 방문 미술 교육, 레고 학습교실, 아동도서 대여점 등이 최근에 많이 나타나는 업종들이다. 어린이 관련 아이템은 원래도 불황에 강하지만 불황으로 인해 일하는 주부들이 증가하면서 아이를 맡겨야 하는 엄마들 때문에 창업이 늘고 있다. 최근의 동향은 일정 시간 동안 아이들을 보살펴줌은 물론 그 시간에 아이들의 학습과 놀이를 겸하는 복합 형태의 창업도 늘고 있다. 임대료와 인건비의 부담 때문에 이런 식의 복합 창업이 늘어날 것으로 전망된다.

실버 산업

우리나라도 이제 본격적인 노령화 시대에 접어들었다. 통계청에서는 노인인구의 비중은 2000년의 7.1%에서 2020년에는 13.2%로 추정하고 있다. 이른바 노인 선진국이 되는 셈이다. 일본의 경우 노인 인구가 11.6%를 차지하던 90년대에 실버 산업의 시장 규모가 50조 엔에 이르렀다고 한다. 우리나라의 경우에도 이 시장의 급격한 팽창이 예상되는데, 1998년의 13조 원에서 2005년에는 대략 25조 원에 이를 것으로 보고 있다. 아이템으로는 이들의 주거시설인 실버타운, 노인전용 아파트, 보호시설, 가사 대행, 급식 배달, 고령자의 의료·건강 서비스, 이들의 자산관리를 위한 금융산업, 여행, 취미, 오라, 노인교실, 생활기기와 실버패션 등 의류용품, 기호식품, 건강식품 등이 주류다. 대학에서도 실버학과가 개설되는 등 이 시장이 본격적인 성장을 앞두고 있다.

3D 분야

소득 수준이 일정 수준 이상으로 높아지면 나타나 호황을 누리는 게 이들 아이템이다. 지난 몇 년 동안 꾸준히 늘어나고 있는 환경, 청소 아이템들은 이제 건물 외벽 청소, 내부 청소, 간판 청소, 침대 클리닉으로까지 확산되고 있다. 월드컵을 계기로 본격화된 욕실 리폼 사업 등도 호황을 누리고 있는 것으로 알려지고 있다. 이러한 추이는 한층 더 심화될 것으로 전망된다. 미국의 경우에도 불황기에는 소자본으로 참여할 수 있는 3D 업종이 강세를 보인다.

건강 · 미용 분야

건강관련 아이템은 잘만 고르면 불황에도 뜨는 아이템이다. 식품도 단순한 건강식품이 아니라 사상체질별 건강식품 하는 식으로 업그레이드된 아이템들이 등장하여 호황을 누리고 있다. 이온 찜질방, 유산소 건강 달리기방 등이 있다. 건강 달리기는 기계 앞에 산소 발생기와 TV 모니터가 설치되어 있어 자신의 상태를 점검하면서 운동을 할 수 있는 곳이다.

건강미용 분야 중 눈에 띄는 것이 향기 산업 분야다. 이웃 나라들의 사례를 보면 향기 산업은 국민 소득 1만 달러를 기점으로 활성화되는 아이템이다. 우리나라의 경우 90년대 후반에 활기를 띠는 듯했으나 IMF 여파로 사라진 아이템이다. 이것이 요즘 다시 움직이고 있다. 허브제품이나 바디전용 아로마상품들이다. 미용도 이제는 얼굴에 국한되는 게 아니라, 몸 전체로 확산되는 추세다.

녹색 바람

환경이 열악해지면서 녹색 바람도 건강과 마찬가지로 영원한 테마가 되었다. 무공해·무농약 쌀, 배추, 고추 등의 농산물과 된장 등이 망라돼 있다. 최근에는 여성의 다이어트와 미용식을 겸한 유기농산물, 아이들의 두뇌 성장을 위한 유기농산물 시장이 빠르게 성장하고 있으며 각 분야에서 특이한 방법으로 재배한 농업 벤처가 등장하고 있다.

최근에 어느 벤처 농업인이 개발한 5,000원짜리 달걀이 화제가 되고 있다. 닭 한 마리보다 비싼 가격이다. 그러나 그런 가격에도 없어서 못 팔 정도로 불티가 나고 있다는 소식이다. 벤처기업 에그바이오텍에서 생산하는 달걀이다. 이 달걀은 먹는 달걀이 아니다. 여드름 방지 등에 특수 효과가 있는 얼굴 마사지용 달걀이다. 닭에게 특수 사료를 먹여 뛰어난 여드름 방지 효과와 함께 마사지 효과를 낼 수 있는 성분의 달걀을 낳도록 개량한 것이다. 물론 그 노하우는 비밀이다. 바이오텍 당사자의 말을 빌면, 한번 구입한 고객들의 재구매율이 40%에 이른다고 한다. 그만큼 효과가 뛰어나다는 의미다. 이 회사는 마사지 달걀 외에도 미백 효과를 주는 달걀을 준비중이라고 한다. 가격은 한 알에 2만 원 선으로 잡고 있다고 한다.

하나만 더 살펴보자. 지난 몇 년 사이 이 분야의 상품 중 하나를 꼽으라면 쑥담배를 빼놓을 수 없을 것이다. 쑥담배는 발매 6개월 만에 300만 갑이 팔린 초대형 히트상품이다. 쑥담배는 금연자를 위한 유사 담배가 아니라, 담배 대용품이다. 즉 담배 대신 사용할 수 있는 상품이다. 담배가 아니기에 편의점 등에서도 판매할 수 있다. 담배 끊기가 어려운 사람들을 위한 대용 담배다. 이는 국내 인기에 힘입어 미국 시장에 '블루Blue' 라는 브랜드로 진출하여 쑥의 효능과 진가를 아는 동양계 사람들에게 폭발적인 인기를 끌고 있다고 한다. 중국에는 '국초國草' 라는 브랜드로 진출했다.

이 담배를 만든 기업은 황금산트레이드, 쑥담배는 잎담배를 재료로 사용하지 않기 때문에 일반 기업에서도 제조할 수 있는 아이템이다. 이 회사는 앞으로도 녹차 등 건강에 좋다는 천연 원료를 사용하는 담배를 계속해서 내놓을 것으로 알려지고 있다. 이처럼 그린green 분야는 아직 개발의 여지가 무궁한 게 아닌가 생각된다. 시간을 두고 깊이 연구해주기 바란다.

여성 창업의 증가

지난 몇 년 간의 트렌드는 여성 창업의 증가였다. 여성 창업 하면 이전처럼 의류나 음식관련 분야에 한정되는 게 아니라 미용, 서비스, 건강식품, 제과, 제빵, 주얼리, 문구, 팬시, 게임기 대여, 학습지 등 교육관련 아이템으로 다양화되고 있다. 여성 창업의 증가는 두 가지 측면에서 보아야 할 것이다. 하나는 사회가 디지털화, 감성화되면서 여성의 섬세한 감성이 오히려 도움이 된다는 측면이고, 다른 하나는 경기가 나빠지면 줄어든 가게 수입을 보전하기 위해 맞벌이 부부가 증가하는데, 이도 여의치 않은 주부들이 아예 창업에 뛰어든다는 것이다. 이는 여성의 사회 진출과 맞물려 불황기에 심화되는 현상이다.

미국의 경우 지난 몇 년 사이 벤처, 인터넷 분야의 여성 창업자가 부쩍 늘어나고 있으며 여기서 성공한 일부 여성들은 전문 경영인으로 영입되는 사례도 늘고 있다. 우리나라에도 지난 몇 년 사이 인터넷 기반의 비즈니스에 참여하는 여성 파워가 눈에 띄게 늘어나고 있다. 여성 창업자는 앞으로도 계속 활성화될 전망이다.

여성 창업의 어려움은 준비 과정보다는 창업 이후가 더 어려운 것으로 알려지고 있다. 몇 년 전만 해도 여성 창업자들은 창업 정보를 얻거나 준비하는 과정에서 여러 어려움을 겪었지만 이제는 창업 이후에 당면하는 홍보, 마케팅, 고객 관리, 세무, 회계, 각종 법률 문제 등이 더 큰 어려움이라고 한다. 이들을 위해 여러 가지 편의를 제공해주는 곳이 있으니 최대한 도움을 받는 것이 좋을 것이다. (267쪽 참고)

프랜차이즈 점포의 증가

최근 들어 우리나라에도 프랜차이즈 가입자들이 급격히 증가하고 있다. 여기에는 몇 가지 이유가 있다. 하나는 초보자나 독자적인 마케팅이 어려운 창업자들이 브랜드력과 마케팅 능력이 있는 프랜차이즈에 가입하는 경우이고, 다른 하나는 도심 곳곳에 들어서고 있는 대형 할인점들의 영향으로 서서히 입지가 좁아지고 있어 이를 피하기 위한 방편으로 프랜차이즈에 가입하는 경우다.

프랜차이즈 역시 고급화, 대형화, 복합화의 추세로 가고 있다. 불황기에 프랜차이즈에 있어서도 퓨전화 경향은 하나의 추세로 보인다. 음식점이라면 전통 음식과 서구 음식의 결합, 동서양적인 분위기의 조화 등이다. 예를 들면 커피와 푸드와 허브를 동시에 판매하는 방식이다. 이럴 경우 매출 구성비는 대략 60:20:20 정도라고 한다. 대형으로 할 경우 좀더 고급스럽게 치장할 수 있는 반면, 저가를 추구하는 경우에도 규모의 경제를 달성할 수 있어 가격 경쟁에 좀더 유리하기 때문이다. 그러다가 경기가 활성화되면 세분화, 전문화의 길을 걸어가게 될 것으로 보인다.

그러나 한 가지 유의하지 않으면 안 될 것은 최근 프랜차이즈 업체들이 우후죽순 격으로 생겨나 부실 체인점들이 많은 데다가 불황의 여파로 이들의 매출도 상당히 줄어들고 있다는 점이다. 따라서 프랜차이즈 가입이 능사만은 아니라는 점을 명심하기 바란다. 가입 전에 꼼꼼히 따져볼 일이다. 또 이를 피하기 위한 방

법으로 등장한 것이 시험적인 초미니 창업인 아이디어 사업의 유
행이다. 실패해도 그리 손해볼 게 없는 아이템에 한번 승부를 던
져보자는 의미일 것이다. 이런 것이 틈새 사업이다.

불경기가 깊어지면 소비자 구조는 최고의 명품이 아니면 사지 않는 과시 소비 계층과 아무
리 물건이 좋아도 싸지 않으면 사지 않는 계층으로 양분된다.

PART 2

창업 아이템

Chapter 1

온라인 아이템

컴퓨터 한 대만 있으면 된다고?

인터넷 시대는 수평 네트워크의 시대.

이제는 정보와 기능을 공유하는 것이 모두에게 이익이

된다. 인터넷 비즈니스를 알아야 돈이 보인다.

인터넷과 비즈니스

1. 인터넷의 등장

인터넷이라는 개념을 처음 생각해낸 것은 미국 국방성이었다. 미국은 무기체제와 전쟁 수행의 모든 과정을 정보와 데이터에 의존하고 있다. 이러한 미국으로서는 다음과 같은 가정을 해보지 않을 수 없었다.

"만약에 적의 선제공격으로 국방성 메인 컴퓨터가 치명적인 타격을 입는다면 전쟁 수행을 어떻게 할 수 있을 것인가?"

이러한 상상은 그 상상만으로도 충격적인 상황이었다. 선제공격을 당한다면? 그리하여 컴퓨터와 정보, 데이터가 없는 상황에서 전쟁을 한다는 것은 미국으로서는 상상조차 할 수 없는 가공할 일이었다. 여기서 정보 분산의 필요성이 제기되었다. 중요한 정보를 미 국방성 메인 컴퓨터 한 곳에만 집중적으로 보관할 것이 아니라 여러 곳의 컴퓨터를 서로 연결시켜 정보를 분산시키자는 것이었다. 그리하여 메인 컴퓨터가 일격을 당하더라도 다른 곳에서 전쟁 수행에 필요한 정보와 데이터에 접속할 수 있도록 하자는 것이었다. 이렇게 컴퓨터를 연결한 것이 인터넷이었다. 인터-넷Inter-Net, 즉 컴퓨터와 컴퓨터를 수평으로 잇는다는 개념이다.

인터넷은 모바일과 함께 20세기의 가장 위대한 마지막 발명품이다. 이 두 가지 발명품은 모두 디지털digital적인 접근방식으로 지금까지의 아날로그analog적인 문명과 선을 긋는 획기적인 사건이었다. 사회를 지배하는 근본 가치개념이 궤를 달리하자 사람들의 생활방식과 의식도 바뀌게 되었다. 디지털 세대와 아날로그 세대가 서로 생각과 말이 통하지 않는 것도 이런 것에서 연유한다. 아날로그 세대가 논리적인 사고에 익숙해 있다면 디지털 세대는 감성적인 것이다. 지난 역사 그 어느 시기에도 요즘처럼 세대간에 의식이 단절된 적이 없는 것 같다. 이 모든 것을 인터넷이 야기한 사회, 문화 현상으로 보아야 할 것이다.

인터넷 혁명을 사람들은 전화 혁명에 비유하기도 한다. 요즘의 전화야 아무것도 아니지만 초창기의 전화는 일부 특수층만 이용할 수 있는 아주 특별한 시스템이었다. 인터넷도 마찬가지다. 인터넷이 처음 등장한 것은 1996년경이지만 당시에는 일부 특수 계층만 이용할 수 있는 아주 특이한 것이었다. 그러던 것이 1999 년에 인터넷 사용인구가 세계적으로 1억 명, 2003년에 5억 명을 돌파했으며 우리나라의 인터넷 사용 인구도 1000만 명을 넘었다. 머지않아 아주 보편화된 생활방식으로 정착될 것이 확실하다.

2. 인터넷의 특성

인터넷 확산의 일등 공신은 우리가 WWW로 사용하고 있는 월드 와이드웹World Wide Web 기술의 발달이었다. 이의 발달로 인터 넷은 전세계적으로 확산되었고, 이는 우리의 생활 환경 자체를 바꾸어 놓았다. 인터넷 사용자들은 대형 도서관 하나 분량의 정 보를 책상에 앉아서 접할 수 있게 되었으며, 오프라인off-line에 서는 상상도 하기 힘들었던 분량의 정보를 온라인on-line을 통해 서는 순식간에 주고받을 수 있게 되었다.

쌍방 커뮤니케이션

인터넷의 큰 특징은 쌍방 커뮤니케이션bilateral communication 이라는 점이다. 이 점이 방송과 구별된다. 라디오나 텔레비전이 처음 등장했을 때 사람들이 받은 충격은 엄청난 것이었다. 세상 모든 소식을 조그만 상자 안에서 보고 들을 수 있었기 때문이다. 그러나 방송이 아무리 많은 정보를 전달해준다 해도 그것은 일방적인 전달에 불과하다. 즉 정보를 전달하는 주체가 있고, 이를 일방적으로 수용만 하는 객체가 따로 있어서 일반인들은 수동적으로 정보를 접할 수만 있을 뿐, 이의 가공이나 전달에서는 소외된 상태였다. 또 방송에는 시간이라는 제약이 있다. 그러나 인터넷은 일방적으로 상대방의 정보를 전달만 받는 게 아니라 서로가 주체가 되어 정보를 주고받는 시스템이며, 시간 제약도 없어 언제든 커뮤니케이션이 가능하다. 방송이 수직 구조의 네트워크라면 인터넷은 수평 구조의 네트워크다.

수평 네트워크

인터넷은 컴퓨터와 컴퓨터가 수평으로 연결되어 있다는 점에서 수평일 뿐 아니라 서로가 주체가 되어 정보를 공유한다는 점에서도 수평적이다. 인터넷상에서는 종속관계가 존재하지 않고 모두가 주체가 된다. 이러한 정보 공유는 사람들의 의식에 큰 변화를 가져왔다. 산업사회까지만 해도 정보는 혼자서 가지는 것이 가장 이익이라고 생각했으나 이제는 정보를 공유하는 것이 모두에게 이익이 된다는 것을 깨닫기 시작한 것이다.

한 가지 예를 들어보자. 수학의 역사를 살펴보면 뉴턴과 라이프니츠는 거의 같은 시기에 미적분을 연구하고 있었다. 뉴턴은 물리학자의 입장에서, 라이프니츠는 철학적 관점에서였다. 이들이 독자적인 연구를 하다 보니 많은 시간과 노력이 들었는데, 만약 이 두 사람이 정보를 공유하고 있었더라면 훨씬 더 빨리, 쉽게 완성할 수 있었을 거라는 추측을 할 수 있다.

한 미국 기업의 중역으로부터 들은 이야기다. 한국인들은 미국 출장을 오면 모두가 동일한, 엇비슷한 질문만 한다고 했다. 그들이 돌아가고 몇 개월 후에 다른 팀의 직원들이 오면 예의 그 질문을 다시 반복한다는 것이다. 출장을 다녀온 직원은 과장, 부장, 중역에게 출장 보고서를 올린다. 그러고는 끝이다. 다른 부서의 직원이 출장을 가게 되면 그는 동일한 과정을 반복한다는 것이다. 그러나 이렇게 가정해보자. 보고를 위로만 할 게 아니라, 그 내용을 수평으로 공유한다고 말이다. 출장 보고서를 기획부, 개발부, 생산부, 영업부가 (인터넷 같은 매체를 통해) 공유한다면 동일한 질문만 되풀이하는 우는 범하지 않을 것이다. 수평으로 정보를 공유한다는 것은 모두에게 이익이 되는 윈윈게임win-win game인 것이다.

정보뿐 아니라 비즈니스 세계에서도 공통되는 요소를 함께할 경우 서로가 이익이 된다. 동일업종의 두 경쟁업체가 있다고 하자. 이들이 원재료 조달에서부터 생산, 판매 모든 기능을 독자적으로 갖추는 것보다는 그러한 것들을 공유하는 것이 훨씬 이익이 된다. 일본 오사카에서 실시하고 있다는 세탁소 네트워크를 사례로 들어보자. 이들은 서로가 정보를 완전 공유한다고 한다. 어느 세탁소가 특정 요일에 특히 바쁘다고 하면 일감이 없는 이웃 세탁소에서 일을 도와준다. 그 반대도 마찬가지다. 배달과 수거 과정도 공유한다고 한다. 예를 들어 A 아파트에 단골이 30가구인 세탁소와 10가구인 세탁소가 있다면 A 아파트 단지의 세탁물은 고객이 많은 쪽에서 일괄 수거, 배송을 하고 그 반대도 마찬가지로 한다는 것이다. 수평으로 정보와 기능을 공유한다는 것, 이것이 인터넷의 본질이다. 인터넷 비즈니스는 이를 꿰뚫어볼 줄 알아야 성공할 수 있다.

수확체증의 법칙

오프라인에서도 한 시장을 개척한 선두가 절대적인 프리미엄을 갖게 되지만 온라인에서는 그 위력이 훨씬 강하다. 인터넷의 속성은 수평 네트워크며 여기에는 '수확체증收穫遞增의 법칙'이 작용한다.

요즘 활발하게 운영되고 있는 결혼정보회사를 예로 들어보자. 회원, 즉 결혼 희망자가 200명인 회사와 100명인 회사는 매칭 성공률이 2배의 차이가 나는 게 아니고 4배의 차이가 난다. 제곱에 비례하는 것이다. 남녀 회원이 동수라고 한다면 전자는 100×100, 후자는 50×50 만큼의 조합이 일어날 수 있다. 그 결과 4배의 차이가 난다는 것이다. 그러면 새로 가입하려는 사람은 당연히 가능성이 높은 전자에 가입하게 된다. 즉 인터넷에서는 규모가 크고 콘텐츠가 풍부한 곳으로 가속적으로 몰리게 된다. 그렇게 하여 선발 주자는 점점 더 강력한 네트워크를 구축하게 되고, 후발은 섰던 자리마저 내주는 게 인터넷 공간이다. 아마존 서점이나 델 컴퓨터를 엇비슷하게나마 추격하는 후발은 어디에도 보이지 않는다. 가상공간에서는 1등만 살아남는다. 문득 성경 구절 하나가 생각난다. "무릇 있는 자는 받아 풍족하게 되고 없는 자는 그 있는 것까지 빼앗기리라"(마 25:29). 이것이 인터넷이다.

3. 비즈니스에 응용

인터넷을 통해 비즈니스의 가능성을 가장 먼저 생각한 사람은 제프 베조스라는 한 미국 청년이었다. 그는 좀 특이한 생각을 하게 되었다. 인터넷이 쌍방 커뮤니케이션이라면 그 가상공간에 책을 진열해놓고서 주문을 받아 배달하면 장사가 되지 않을까 하는 것이었다. 그것이 우리가 인터넷 비즈니스라고 알고 있는 전자상거래의 효시였다. 이렇게 시작한 가상서점 아마존은 세계 최대의 오프라인 서점 반스앤노블스를 크게 앞질렀다. 선두를 빼앗긴 오프라인 서점 반스앤노블스의 반격이 치열해지자 그는 3년째 자신의 연봉을 동결하면서도 이 싸움을 진두지휘하고 있다. 싸움의 결과를 흥미있게 지켜보기로 하자. 인터넷을 통한 실물거래가 이루어지기 시작하면서 오프라인의 수많은 거래들이 인터넷을 통해 가능하게 된 것이다. 이것이 비즈biz 혁명이라고까지 불리는 전자상거래다.

제프 베조스에 대해 좀더 이야기해보자. 그는 일찍부터 엉뚱한 데가 많은 인물이었다. 우주비행사나 물리학자를 꿈꾸던 그는 고교 시절에 이미 사업을 시작했다. '드림 인스티튜트' 사업이다. 이는 방학 기간 중에 창의력 개발 훈련을 하는 일종의 서머캠프summer camp 같은 것이었다. 이 프로그램에 그의 형과 누이도 참가했는데, 이들에게도 돈을 받았다는 이야기는 그의 비즈니스 철학을 엿볼 수 있는 일화로 전해진다. 프린스턴 대학에서 전자공학과 컴퓨터공학을 전공하여 수석으로 졸업한 그는 뱅커스 트러스트라는 금융기관에 들어가 투자관련 시스템을 개발하여 일약 스타가 되었으나 인터넷을 통한 온라인 비즈니스의 가능성을 깨닫고는 사표를 던지고 시애틀로 달려가 지금의 아마존을 세웠다. 그가 검토했던 아이템들은 책 외에도 CD, 비디오, 하드웨어와 소프트웨어 등이었다. 아직 인터넷을 통해 물건을 거래하는 전례가 없었기에 비교적 가격이 저렴한 책을 선택했다고 한다. 이제는 아마존 성공을 바탕으로 CD 등 그가 검토했던 초기의 아이템들을 모두 취급하고 있다.

아마존 설립 당시 자금 확보를 위해 사람들을 만나던 장소가 당시 오프라인 최대 서점이던 반스앤노블스 서점 커피숍이었다고 하니 적의 심장부에서 적을 무너뜨릴 궁리를 한 셈이 되었다. 최소한의 자본이 모아지자 창업 멤버 세 명이 차고 하나를 빌어 아마존을 출범시켰다. 아마존의 자산가치는 수백억 달러를 상회하는 것으로 알려지고 있다. 그는 아마존의 성공 스토리를 다룬 책《Amazon.com》에서 자신의 철학을 다음과 같이 적고 있다.

- 전자상거래를 이해하라
- 중요한 하나의 목표에 전념하라
- 브랜드 이미지를 높이라
- 고객에게 가치를 제공하라
- 끊임없이 자기계발을 하라
- 검약한 생활을 하라

장사꾼이 아니라 철학자의 금언처럼 들리기도 한다. 이처럼 비즈니스에는 철학이 있어야 한다. 그는 아마존의 성공에 머물지 않고 여기서 번 돈으로 지금 우주여행 프로젝트를 추진하고 있다. 그것은 어린 날 그의 꿈이기도 하다. 언젠가는 우주여행이 실용화될 것이라는 것이다. 그러자 친구들은 본업에만 충실하라고 그를 말렸다. 그러나 그는 이렇게 말했다. "모든 사람들과 똑같이 생각해서는 아무것도 이룰 수 없다. 무엇이든 남들이 하지 않는 분야를 개척해야 한다."

　이 책에서 여러 번 강조하지만 모든 비즈니스는 남들이 생각지 못하는 것을 해야 크게 성공한다. 남들이 다 할 때 뒤따르는 것은 때로 하지 않는 것보다 못하다. 인터넷 비즈니스는 특히 그러하다. 인터넷의 본질은 수평 네트워크이고, 수평 네트워크에서는 네트워크를 먼저 차지하는 사람이 절대적으로 유리하기 때문이다. 제프 베조스의 예측대로 우주여행이 실용화된다면 그는 다시 한 번 그 분야를 선도하는 위대한 인물로 기억될 것이다.

4. 인터넷 비즈니스에 대한 맹신

아마존이 성공하자 미국을 비롯하여 세계적으로 전자상거래 붐이 일기 시작했고 수많은 성공 사례들이 나오기 시작했다. 우리나라도 1996년경부터 몇몇 대기업의 주도로 전자상거래가 나타나기 시작했다. 그 이듬해 IMF 구제금융을 받게 되면서 많은 사람들이 직장을 잃고 거리로 몰려나오자 정부는 맨손으로 돈을 벌 수 있다며 인터넷 비즈니스를 부추기기 시작했다. 아이디어 하나만 있으면 맨손으로, 집에서 컴퓨터 한 대만 있으면 할 수 있는 사업이라며 인터넷 비즈니스 바람을 불어넣은 것이다. 이때만 해도 인터넷 비즈니스는 장밋빛 그대로였다. 그러나 그로부터 몇 년 간은 질풍노도와도 같은 시기였다. 그렇게 우후죽순처럼 솟아난 인터넷업체들은 단 몇 개월 만에 절반이 문을 닫고 그 몇 배의 가상기업들이 새로이 등장하는 등 일대 혼란기였다.

몇 년이 지난 후 이의 실태를 조사한 바에 의하면 인터넷 기업들은 6개월을 버티기가 어려웠고, 이 기간을 견딘 기업들도 수익을 내는 곳은 극히 일부에 지나지 않았다. 장밋빛이 흙빛으로 변해 버린 것이다.

물론 예외가 없지는 않다. 또 지금도 그런 가능성이 없는 것은 아니다. 그러나 일반적으로 말하자면 인터넷 비즈니스는 돈 없이 집에서 컴퓨터 한 대로 할 수 있는 게 아니라는 것이었다. 이러한 엄연한 현실을 전제로 하여 출발하지 않으면 실패하고 만다.

밑줄긋기

인터넷 시대에는 서로 정보를 공유하는 것이 모두에게 이익이 된다.
모든 비즈니스는 남들이 생각지 못하는 것을 해야 크게 성공한다.

인터넷 비즈니스의 종류

    인터넷 비즈니스는 다양한 기준에 따라 다양하게 분류될 수 있다. 크게 정보와 읽을거리를 제공하는 콘텐츠contents 사업과 전자상거래로 양분할 수 있을 것이다.

    콘텐츠 사업은 인터넷에 교육이나 의료, 법률, 건강, 다이어트 등 다소 전문적인 분야의 정보를 올리는 정보 제공형 아이템이다. 세계 주요도시의 여행이나 호텔 정보, 문화, 볼거리, 먹거리 등을 올려도 좋다. 서울을 예로 든다면 외국인들이 많이 찾는 인사동이나 이태원, 대학로 등의 볼거리, 먹거리, 행사, 이벤트, 쇼핑 정보 등을 올리는 식이다. 꼭 전문적인 내용이어야 하는 것도 아니다. 눈이나 입술 화장을 아름답게 하는 비결을 올려도 좋고, 뜨개질하는 방법을 인터넷에 소개해도 좋다. 새나 물고기 기르는 법도 좋다. 특정 주제를 정기적으로 올리면 정기간행물 즉 웹진 web magazine이 되고, 매일 올리면 〈딴지일보〉 같은 인터넷 신문이 된다. 정보만 올리는 게 아니고, 정보와 관련된 상담을 겸하면 인터넷 컨설팅이 된다. 인터넷 정보제공 사업은 어느 분야든 네티즌들이 관심을 가질 만한 분야의 정보를 올릴 수 있으면 가능하다. 문제는 수익창출 방법이다. 사이트를 재미있게 꾸며 많은 사람들이 방문하게 만든 다음 광고를 유치할 수도 있고, 컨설팅으로 수익을 낼 수도 있고, 유료 회원제로 운영하거나 사주, 운세 사이트들처럼 유료 회원제에다 개별 유료 컨설팅을 겸할 수도 있다.

가상적인 연습으로 낚시 사이트를 만들어보자. 주말이나 휴일이면 전국 각지에서 수많은 강태공들이 낚시터를 찾는다. 이 경우, 낚시에 일가견이 있는 사람이라면 낚시 정보를 올리는 것이다. 이번 주말, 휴일에는 물때가 어떠하고 바람이 어떠하며, 산란기가 도래하였으므로 어느 저수지나 강이 월척 낚시에 좋다라는 식이다. 그럼 수익 모델은? 일단 유명해지고 방문객들이 늘어나면 낚시관련용품을 판매하는 회사의 광고가 붙게 된다. 내용을 좀더 충실하게 꾸며 매주 단위로 정보와 자료를 올린다면 유료화를 해도 좋다. 낚시장비나 미끼 등을 구입하러 다닐 시간이 없는 직장인들을 위해서는 이를 판매와 연결시켜도 좋다. 또 월 1회 정도 낚시대회를 개최하여 부수적인 수입을 올릴 수도 있다. 이 정도 규모면 두세 명이 재미있게 운영할 수 있을 정도가 될 것이다. 이것이 인터넷 콘텐츠 사업의 기본 모델이다.

그 외에 인터넷에서 동창회 사이트나 채팅, 미팅을 주선하는 등의 커뮤니티 유형이 있을 수 있고 게임, 오락 등을 다루는 사이트가 있을 수 있다. 그러나 이러한 구분은 시간이 지나면서 점차 경계가 허물어지는 추세를 보이고 있다. 전자상거래를 하는 곳에서도 커뮤니티 못지않게 가족적인 분위기를 만들어가는 곳이 많으며, 커뮤니티에서도 상품을 판매하는 곳이 늘어나고 있다. 예를 들면 결혼, 미팅을 주선해주는 커뮤니티 사이트에서도 결혼용품을 취급하고 있는 곳이 많다.

전자상거래는 취급하는 상품에 따라서, 상품이나 서비스의 흐름도에 따라서, 수익 모델이 어떠하냐에 따라서 여러 가지로 분류될 수 있다.

1. 상품 종류에 따라

유형의 상품과 무형의 상품

인터넷에서 거래되는 상품은 우선 유형의 상품이냐 무형의 상품이냐로 나눌 수 있을 것이다. 유형의 상품이란 부피와 무게를 가진 상품으로 인터넷에서 많이 팔리고 있는 음반, 카메라, 화장품, 포도주 등 물리적인 상품이다. 이런 상품들은 상품의 속성상 인터넷상에서 거래가 종료되는 게 아니라 구매자에게 배송되어야만 종료된다. 또 물리적 상품의 이동과는 반대 방향으로 돈이 흘러가야 한다. 유형의 상품이지만 실제로 물건이 움직이지 않는 것도 있을 수 있다. 인터넷에서 부동산을 사고파는 경우 등일 것이다. 이런 경우는 인터넷상에서 계약만으로 거래가 종료된다.

무형의 상품에는 디지털 상품과 서비스 상품이 있다. 인터넷에서 MP3 음악을 구입한다면 디지털 상품이다. 물리적 상품과는 달리 디지털 상품은 인터넷상에서 거래가 종료된다. 또 디지털 상품은 디지털 형태로 보관될 수 있고 반복적으로 복제될 수 있다는 특성을 가지도 있다. 서비스 상품은 인터넷에서 법률상담을 받는다거나 주식거래, 여행상품을 구입하는 경우 등일 것이다. 공연 티켓을 구입한다거나 인터넷을 통해 강의를 듣는 것도 서비스 상품이다. 서비스 상품은 디지털 형태로 보관할 수 없고 복제할 수가 없다는 점에서 디지털 상품과 구별된다. 어떤 형태의 비즈니스를 구상하느냐에 따라 준비도 달라야 할 것이다.

상품 종류별 투자 비용

인터넷상거래 중 물리적 상품은 가상공간에 점포를 가지기 때문에 점포 임대료가 발생하지 않는다. 대신 배송 비용이 들어가게 된다. 따라서 물리적 상품을 취급하기 위해서는 유기적인 배송시스템을 갖추어야 하며, 이를 갖추었다 하더라도 배송 비용이 매장 비용을 초과해버리면 전혀 이익이 남지 않는다. 이것이 손익분기점이다. 초기 투자 비용은 최소한의 초기 재고 비용과 배송시스템 구축에 필요한 돈, 그리고 이익이 발생하기까지의 운전자본이다. 따라서 고정 비용이 상대적으로 낮은 반면 변동 비용이 상대적으로 높다는 특징을 가지게 된다. 배송시스템은 아이템이 무엇인가에 따라 다르겠지만 굳이 독자적인 시스템을 갖추어야만 하는 것은 아니다. 공동 배송망을 이용할 수도 있고 제휴를 하는 방법도 있을 수 있다.

반면 디지털 상품은 물리적 상품이 아니기 때문에 매장 비용은 물론 배송 비용도 전혀 들지 않는다. 그러나 거의 소프트웨어 수준의 보이지 않는 상품을 개발하기 위해서는 많은 초기 자본이 필요한 것이 특징이다. 게임 프로그램 개발 등이 대표적인 사례일 것이다. 그러나 일단 개발되어 성공을 거둔다면 변동 비용이 거의 들지 않기 때문에 손익분기점을 넘어서는 순간부터 수익률 또한 가속적으로 높아지는 특성을 가진다.

이 분야의 아이템을 검토하는 사람이라면 친숙하다 하여 물리적 상품만 고려할 것이 아니라 앞으로 가장 활성화될 무형의 상품도 충분히 연구하기 바란다.

2. 비즈니스 모델에 따라

인터넷 비즈니스는 거래 당사자가 누구냐에 따라서 몇 가지 모델로 나누어진다. 비즈니스 주체를 'B'(Business), 고객을 'C'(Customer)라 하면 이를 조합할 경우 아래와 같이 4가지 비즈니스 모델이 나올 수 있다.

① BtoB
② BtoC
③ CtoB
④ CtoC

BtoB 모델은 비즈니스 주체들간의 거래를 이르며, BtoC는 '나'가 비즈니스 주체가 되어 불특정 다수인 고객(C)을 대상으로 상품이나 서비스를 제공하는 경우다. 마찬가지로 CtoB는 일반 상거래와는 반대로 소비자가 주체가 되어 기업과 거래를 하는 모델이며, CtoC는 소비자들 상호간의 거래를 의미한다. 여기서 'to' 대신 '2'를 써서 'B2B'로 표기하기도 한다. 발음이 동일하기 때문에 언어 절약의 원칙이 적용되는 경우다.

3. 온라인·오프라인 여부에 따라

인터넷에서 비즈니스를 하더라도 온라인상에서만 영위하는 경우가 있고, 오프라인을 겸하는 경우도 있다. 온-오프를 겸하는 경우는 오프라인상에서 비즈니스를 하다가 온라인 비즈니스가 커지자 기존의 상품을 온라인에도 올린 경우다. 아마존이라면 처음부터 온라인으로 출발한 경우이고, 반스앤노블스라면 미국 최대의 오프라인 서점이었다가 아마존의 등장으로 선두를 빼앗기자 다시 온라인 비즈니스에 뛰어들어 온-오프를 겸하게 된 경우이다. 이처럼 온-오프를 겸하는 경우는 대부분 오프라인에서 사업을 하다가 홍보 차원에서라도 온라인을 시작하는 형태가 대부분이다. 델 컴퓨터 같은 경우는 인터넷 이전에 전화, 팩스 등을 이용하여 통신판매를 하던 기업이었다. 요즘은 오프라인 기업 대부분이 온라인 진출을 하기 때문에 온-오프 겸용 비즈니스는 별다른 의미가 없어지고 있다. 따라서 이 책에서는 온-오프 아이템을 별도로 다루지 않을 예정이다. 오프라인상의 모든 기업이 온라인 비즈니스를 겸하고 있다고 생각하면 된다.

4. 수익 모델에 따라

인터넷 비즈니스는 상품을 팔아서 수익을 창출하는 경우, 서비스나 중개 등의 수수료로 수익을 창출하는 경우, 광고 유치를 통해 수익을 창출하는 경우, 유료 회원제 등으로 나누어진다.

상품/서비스 판매

상품이나 서비스를 팔아서 수익을 창출하는 모델은 온라인 판매를 하는 모든 기업들이다. 아마존이나 델 컴퓨터 같은 경우가 대표적인 사례다.

중개 수수료

수요자와 공급자를 연결해주고 그 사례로 받는 중개 수수료가 수익원인 경우로는 경매업체인 이베이eBay나 프라이스라인priceline 등이 있다.

고정 회비가 수입원인 경우

유익한 정보를 콘텐츠로 올리는 경우, 유료 회원제로 운영할 수 있다. 《월스트리트 저널》은 신문을 온라인에 올려 유료 독자를 확보하는 비즈니스를 시작하여 온-오프라인 동시 사업에 성공한 사례다. 우리나라의 경우 사주, 운세 사이트 등이 그 예다.

상담료가 수입원인 경우

인터넷은 특성상 전문적인 상담을 하기에 적합하다. 법률, 건강, 성문제, 여성문제 등의 문제들은 얼굴을 맞대고 상담하기에는 껄끄러운 부분이 없지 않다. 인터넷이라면 익명성이 보장되기에 이런 류의 상담에 적합하다.

광고

커뮤니티 모델인 야후Yahoo나 다음Daum 같은 포탈업체들은 광고를 주요 수입원으로 삼고 있다. 그러나 어떤 부류의 기업이라도 단일 수입원 외에 복합적이고도 융합적인 수익 창출로 옮겨가고 있어 이의 경계는 점차 사라지고 있는 추세다.

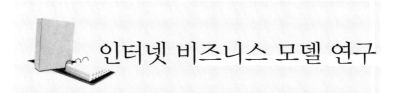

인터넷 비즈니스 모델 연구

1. BtoC 모델

앞서의 분류 순서에 의하면 BtoB 모델을 먼저 설명하여야 할 것이나, BtoB 모델은 아직 조금 낯설게 느껴질 개념이기에, 일반인들이 흔히 떠올릴 수 있는 BtoC Business to Customer모델을 먼저 논의하고자 한다. BtoC는 보편적인 개념의 비즈니스 모델로, 내가 비즈니스의 주체가 되어 가상공간에 가게를 마련해놓고서 불특정 다수의 소비자나 특정 다수의 소비자 'C'를 대상으로 상품이나 서비스를 제공하는 모델이다. 오프라인 가게를 가상공간으로 옮겨놓은 것이라고 생각하면 된다. 여기에서도 실제 비즈니스를 어떻게 전개하느냐에 따라 여러 가지로 분류할 수 있다.

취급 상품

BtoC 모델에서 취급하는 상품은 물리적 상품도 있을 수 있고 디지털 상품도 있을 수 있다. 또 서비스 상품도 있을 수 있다. 물리적 상품이라면 도서, 음반, 컴퓨터, 자동차 등 무게와 공간을 차지하고 있는 상품 대부분이 해당된다. 요즘은 쇠고기나 농산물 같이 규격화, 정형화되지 않은 상품들도 팔리고 있다. 인터넷을 통해 MP3 같은 음악을 구입한다면 디지털 상품이며, 여행상품을 구입하거나 법률상담을 한다면 서비스 상품이다.

상품 조달 형태

자체 조달

자체 상품인 경우, 즉 자신이 제조업이나 생산업을 하면서 자신의 상품을 자신이 만든 사이트에 올리는 경우다. 이때는 오프라인 판매가 주主고 인터넷은 판매의 보조 수단 또는 홍보를 위한 수단으로 이용하는 경우가 많다. 기업체 사이트에서 자사 상품을 판매하는 경우가 여기에 해당한다.

외부 조달

외부 조달은 생산 수단이 없는 사람이 외부에서 상품을 조달하여 자신의 사이트에서 판매하는 경우다. 이 경우에는 상품 라인은 좁히고, 조달 소스source는 가급적이면 넓히는 것이 바람직하다. 상품 라인을 줄인다는 것은 하나의 주제로 모일 수 있는 소수의 상품으로 승부를 하라는 것이며, 상품 조달 소스를 넓히라는 것은 특정 회사의 상품만 취급해서는 안 된다는 것이다. 결국 그회사에 종속될 수밖에 없기 때문이다. 좀 극단적인 예를 들면 아마존 서점에서 특정 출판사 도서만 취급해서는 승산이 없다는 의미다. 화장품이라면 '립스틱' 하나만 취급하되, 세계적으로 유명한 브랜드의 립스틱 모두를 풍부한 콘텐츠, 서비스와 함께 제공하라는 것이다. 그래야만 전문화가 가능하고 립스틱에 관하여는 특정 제조회사를 능가할 수 있다. 전자상거래를 구상하는 많은 사람들이 "화장품의 모든 것" 하는 식으로 광범위한 라인을 생각하는데, 이는 아주 위험한 접근으로 보인다.

가게 형태

독립적인 사이트를 구축하거나 남의 쇼핑몰에 입주하는 방법 두 가지가 있을 수 있다. 자체 상품을 가지고 있고 오프라인상에서 사업을 영위하고 있는 경우라면 남의 쇼핑몰에 입주하는 것도 방법일 수 있다. 판매는 플러스 알파일 것이기 때문이다. 그러나 외부에서 조달하는 상품을 가지고 다시 남의 쇼핑몰에 입주하는 것은 남는 것도 없을 뿐 아니라 영원히 나의 사업이 아니다. 오프라인에서 사업을 하고 있는 경우 자체 상품의 홍보 목적이라면 자체 사이트를 구축하는 것이 좋을 것이다.

신규 사업인 경우와 기존 사업을 옮겨 오는 경우

새로운 사업을 할 목적으로 사이버 시장에 뛰어드는 경우와 기존의 오프라인 비즈니스를 온라인으로 옮기는 경우로 나눌 수 있다. 오피스 디파트office depart는 전세계 700여 개의 체인점을 가진 세계적인 사무용품 회사로 기존의 비즈니스 자체를 온라인으로 옮긴 경우이다. 이에 비해 델 컴퓨터는 기존에 전화와 팩스로 주문을 받아 컴퓨터를 조립해주던 비즈니스를 온라인으로 옮긴 것이다.

구매 과정

이 모델에서의 구매 과정은 가상공간에서는 의사결정만 이루어질 뿐 구매 상품의 배달은 별도의 오프라인을 통해 이루어져야 한다. 디지털 상품이나 서비스 상품인 경우에는 원칙적으로 배송이 필요없지만 배송이 있는 경우도 있다. 여행상품을 구입했다면 티켓이라도 배송되어야 할 것이기 때문이다.

배송 문제

물리적 상품인 경우 배송 문제는 손익과 직결된다. 상품에 맞는 적절한 배송시스템을 구축하지 못하면 고객의 신뢰를 얻기 어렵고, 늘어나는 비용 때문에 남는 게 없게 된다. 배송시스템은 직접배달 체제를 갖출 수도 있고, 택배 등 외부 운송회사와 업무 제휴를 통해 해결할 수도 있다. 좀더 나은 방법은 주요 거점마다 물류기지를 갖추는 것이다. 서울이라면 지하철역이나 편의점과 제휴하여 상품은 거기까지만 배송하고 고객들로 하여금 찾아가게 하는 시스템이다. 그럼으로써 낭비되는 돈과 시간을 절약할 수 있다.

지금까지 우편 등의 방법으로 직송 체제를 고집하던 아마존의 경우에도 요즘에는 가전제품 회사인 서킷시티Circuit City와 제휴하여 이 매장에서 상품을 찾아가게 하는 시스템을 도입한 것으로 알려졌다. 반면 아마존은 서킷시티의 가전제품도 취급해줌으로써 양사가 서로를 돕는 윈윈 관계를 구축한 것으로 알려지고 있다. 고객들은 일반적인 배송 방식과 서킷시티 매장을 통해 물건을 찾아가는 방법 중에서 선택할 수 있게 된다. 또 외부에서 조달하는 상품인 경우 주문을 넘겨주고 상품 공급업체로 하여금 배송케하는 방법도 있을 수 있다. 상품의 성격과 소비자 서비스에 적합한 배송시스템을 충분히 연구하기 바란다.

대금 지불

대금 지불도 아이템 성격이나 운영 프로세스에 맞게 설계되어야 한다. 신용카드, 무통장 온라인, 휴대폰 결제 등 다양한 방법이 있을 수 있다. 물리적 상품이 아닌 콘텐츠나 커뮤니티 같은 경우에는 유료 회원제로 운영하기도 한다.

신용카드

가장 일반적으로 이용되는 방법이다. 신용카드 정보, 유효기간, 비밀번호 등을 입력하고서 카드사의 승인을 받아 결제를 한다. 지불이 편리하고 후불이라는 장점도 있으나 정보 노출을 꺼리는 고객들은 사용을 회피한다. 인터넷은 개방형 네트워크이기 때문에 어느 정도만 인터넷 지식이 있으면 타인의 신용카드 정보를 빼낼 수 있다. 또 서명이라는 절차가 없기 때문에 잘못 사용될 가능성도 높다. 이를 방지하기 위한 여러 장치들이 개발되어 다시 성업중이다. 문제점이 있는 모든 것은 새로운 비즈니스의 기회!

무통장 입금

고객이 상품 주문시에 입금할 은행을 선택하게 하는 방법이다. 은행을 선택하면 계좌번호가 제공된다. 그 계좌로 입금을 완료하면 상품을 출발시키는 시스템이다. 일정 기간, 예를 들어 1주일이 넘도록 입금을 하지 않을 경우에는 주문 취소로 간주하게 된다. 다소 불편하게 느껴질 정도로 재래식인 이 방법이 사용되는 까닭은 신용카드가 없는 사람들을 위한 시스템이어서라기보다는 신뢰성 문제 때문이다. 별로 알려지지도 않은 영세 사이트의 경우 신용카드로 돈만 보내고 상품을 받지 못하는 사례가 적지 않다. 이런 불신이 있는 가운데, 그래도 은행은 믿을 수 있다는 신뢰를 받고 있기 때문이다.

회원제

디지털 상품이나 서비스 상품인 경우에는 회원제를 채택하는 곳이 많다. 또 편리하다. 일정 금액의 월회비만 내면 노래방 서비스를 받을 수도 있고 연회비만 내면 1년 동안 콘텐츠를 자유롭게 이용할 수 있는 시스템이다.

선불 제도

그리 흔치는 않으나 회원으로 가입한 고객이 일정 금액을 유치하면 그 금액 안에서 상품을 구입하도록 만든 제도다. 인터넷 서점 등 비교적 소액 상품을 취급하는 곳에서 채택하고 있다.

전자화폐

실물 형태의 화폐를 디지털 화폐로 바꾼 것이다. 신용카드 크기의 전자화폐에 돈을 넣고 다니면서 사용할 수 있게 만든 시스템이다.

재고 문제

배송 문제와 함께 재고도 손익과 직결되는 문제 가운데 하나다. 자체적으로 생산하는 아이템이라면 그다지 문제될 것이 없지만 외부에서 조달해야 하는 경우는 재고가 바로 돈으로 연결된다. 재고 확보는 신속한 고객 서비스를 위해 필요하다. 재고를 확보하고 있으면 주문을 받는 즉시 배송할 수 있지만 그렇지 못하면 주문을 받은 다음 외부에서 상품을 조달받아 그제서야 배송 단계에 들어가기 때문에 그만큼 늦어진다.

아마존도 처음에는 재고 제로stock zero의 원칙으로 출발했으나 풍부한 재고를 앞세운 오프라인 최대의 서점 반스앤노블스에서 온라인 서비스를 개시하면서 빠르게 추격해오자 신속한 고객 서비스를 위해 재고를 갖추지 않을 수 없게 되었다. 그러자 취급하는 상품도 가속적으로 늘어났기에 적정 재고를 확보하기 위해서 엄청난 규모의 자본이 지속적으로 투입되는 양상이 전개되었다. 아마존의 주가가 아무리 올라도 영업 이익이 나지 않는 까닭은 바로 이 재고 비용과 우송료 부담 때문이다. 비즈니스를 시작하기 전에 충분히 고려하지 않으면 안 될 사항이다.

팔리는 상품과 팔리지 않는 상품

물리적 상품의 경우 우리가 일상생활에서 접하는 대부분을 인터넷을 통해 거래할 수 있다. 요즘에는 인터넷 거래를 통해서는 팔리지 않을 거라고 생각했던 쇠고기까지 팔리고 있다. 시간이 지나면 대부분의 물리적 상품들이 인터넷 공간에서 거래될 수 있을 것이다. 그러나 그 우선 순위에는 대략 다음과 같은 원칙이 적용된다. 참고하기 바란다.

표준화된 상품

거래가 가장 잘 이루어질 수 있는 분야의 상품은 표준화된 상품이다. 책이나 CD, 음반, 포도주, 향수, 화장품, 장난감, 식료품 등이 그 예일 것이다. 표준화된 상품이라면 대량으로 생산해낼 수 있는 상품을 의미한다. 반대로 표준화되지 않은 상품이라면 수작업으로 만든 상품이거나 농수축산물 등일 것이다. 후자의 상품들은 거래하기가 쉽지 않다. 그러나 이런 분야의 상품들도 꾸준한 성장세를 기록하고 있다. 우리나라의 경우도 근래 인터넷을 통해 많이 팔린 상품을 분야별로 보면 생활관련용품, 가전, 전기, 전자, 의류관련용품들이 주류를 이루고 있다.

그러나 이를 반대로 해석한다면 공산품의 경우에는 이미 참여하고 있는 기업의 수가 많기 때문에 경쟁이 치열한 반면, 비표준화된 상품들은 시장 참여의 기회가 많이 남아 있다는 이야기가 된다. 이미 성공한 사람들도 많다. 인터넷에서 홍화씨나 고추, 무공해 청정지역 쌀을 판매하는 사람들 중에 성공한 사람들이 꾸준히 나타나고 있다.

정리하자면 표준화된 상품은 거래하기는 쉽지만 경쟁자가 많고, 비표준화된 상품은 시장 참여의 기회가 많은 반면 소비자의 신뢰를 얻기까지 시간이 많이 걸린다. 표준화되지 않았기에 언제 주문을 해도 동일한 품질, 동일한 서비스를 받을 수 있다는 신뢰가 쌓이려면 시간이 걸린다는 것이다. 상품 기획이나 취급하는 전과정을 통해 철저한 표준화 작업을 선행하지 않으면 안 될 것이다.

무차별적인 상품

위와 엇비슷한 내용이 되겠으나, 설명을 하자면 무차별적인 상품이란 제품에 하자가 없는 한 A와 B는 완전 동일한 상품으로 간주되는 경우를 말한다. 예를 들어 책이라면 책장이 찢어지거나 하는 하자만 없다면 A, B는 완전히 같은 상품으로 간주되어 어느 것을 갖든 무방하다는 것이다. 이처럼 표준화된 상품, 무차별적인 상품이 인터넷에서 취급하기에 적합하다. 그러나 섬세하고 까다로운 여성들은 동일한 브랜드, 동일한 소재, 동일한 사이즈, 동일한 컬러의 옷이라도 만져보고 입어보고서 그 중에서도 마음에 드는 한 가지를 골라낸다. 이는 무차별적인 상품이 아니다. 이런 것은 인터넷에서 조금 곤란하지 않을까 하는 생각이다. 같은 옷이라도 티셔츠나 청바지라면 비교적 표준화와 무차별성을 갖추었다고 볼 수 있을 것이다. 실제로도 인터넷에서 많이 취급하는 의류는 티셔츠와 청바지, 운동화 등이다. 요즘에는 애완동물도 인터넷을 통해서 거래가 되고 있는데 이는 중간 정도의 영역이 아닐까 생각된다.

여기에 하나 더 추가하자면 인터넷에서 많이 거래되는 아이템 중 하나가 꽃인데, 이는 엄밀히 따지자면 공산품이 아니기에 표준화가 되지 않았고 무차별성도 갖추지 못했다. 그럼에도 거래가 잘 되는 이유는 '선물'이라는 특수성 때문으로 보인다.

가슴에 와 닿는 상품

델 컴퓨터Del Computer도 초기 성공사례 중 하나다. 델 컴퓨터의 사례를 잠시 살펴보기로 하자.

델이라는 청년은 컴퓨터에 뛰어난 재주를 가져 컴퓨터를 조립하고 고치고 소프트웨어를 만들었다. 그는 컴퓨터 장사를 한번 해보고 싶었지만 가게를 얻을 자금이 없었다. 가게 없이 컴퓨터를 팔 방법은 없을까 고민하던 그는 전화와 팩스를 떠올렸다. 전화나 팩스로 주문을 받아 집에서 조립하여 배송하면 되지 않을까 하는 그의 생각은 적중했다.

그러나 처음부터 성공적인 것은 아니었다. 컴퓨터가 막 도입된 초기시장을 생각해보자. 이는 비교적 비싼 물건이었을 뿐 아니라 만져보고 작동도 해보고 나서야 구입 여부를 결정하는 시장이었다. 따라서 실물을 보지도 않고 구입할 소비자는 그리 많지 않았다. 그러나 시간이 지나고 친숙해지면 굳이 만져보고 작동해보지 않아도 알 수 있는 상품으로 변해간다. 컴퓨터를 5년, 10년 사용한 사람이라면 굳이 용산 전자상가를 기웃거릴 필요가 없을 것이다. 컴퓨터 모델명, 용량, 옵션 등 핵심적인 사항만 물어보면 훤히 뇌리에 떠오르게 된다. 굳이 만져보고 작동해보지 않아도 된다는 것이다. 이것을 필자는 가슴에 와 닿는 상품이라고 정의하고 싶다.

자동차도 마찬가지다. 인터넷 초기에는 자동차 중에서도 중고 자동차만 팔렸다. 중고일 경우에는 직접 보지 않아도 된다는 것이다. 브랜드, 연식, 주행거리, 상태, 그리고 가장 중요한 가격만 확인하면 구입이 가능했다. 그러나 신차일 경우에는 초기의 컴퓨터와 마찬가지로 만져보고, 의자에 앉아보고 시동을 걸어 시험 주행도 해본다는 것이다. 그러나 이제는 인터넷에서 신차도 서서히 팔리고 있다. 이처럼 상품의 속성은 변해간다.

BtoC 모델이 성공하려면

인터넷 비즈니스가 이제 막 성장기라고 하나 성공하기란 쉽지 않다. 하나의 아이템이 성공하면 너도나도 동일한 아이템에 뛰어들지만 후발이 성공했다는 이야기는 별로 듣지 못했다.

최초가 되라

오프라인에서도 어느 한 분야의 선두는 유리하지만 수확체증의 법칙이 적용되는 인터넷에서는 선두의 위력이 절대적이다. 한 분야를 개척한 1등은 아마존이나 델 컴퓨터처럼 큰 기업 규모로 성장했지만 이를 모방한 후발들이 크게 성공했다는 이야기는 별로 들리지 않는다. 아이템 접근을 할 때는 자신의 관심 분야도 좋지만, 아무도 손대지 않은 분야가 무엇인지 알아보는 데서 출발하는 것도 좋은 방법일 것이다. 우리나라 사이버 복덕방 1호로 기록되는 주부 박모씨의 경우, 부동산을 인터넷으로 거래할 수 없을까 하면서 시작했던 것이 연매출 50억을 넘어서는 성공으로 이어진 사례다. 우리나라 어디나 길거리에 나서면 생활정보지들이 넘치지만 성공한 것은 1호인《벼룩시장》뿐인 것이다.

전선을 좁혀서 전문화하라

인터넷상거래를 준비하는 사람들을 보면 인터넷상에서 팔 수 있는 모든 것을 팔겠다는 욕심이 앞서는 경우를 흔히 보게 된다. 오프라인 점포도 그러하지만 인터넷에서는 더욱 좁은 영역으로 접근해야 한다. 팔 수 있는 모든 것을 다 취급하겠다는 식의 접근은 아무것도 팔지 않겠다는 것과 마찬가지다.

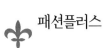 패션플러스

우리나라 패션 포탈 서비스를 제공하는 곳 중에 패션플러스fashionplus.co.kr라는 곳이 있다. 의류에 관한 모든 것을 판매하는 곳이다. 캐주얼을 위주로 신발, 가방, 티셔츠, 각종 이벤트 등 패션에 관련된 모든 것을 취급하는 곳이다. 필자의 생각은 그러하다. 티셔츠나 청바지, 신발, 가방 등은 모르겠지만 만져보고 입어보고 앞뒤로 거울을 봐야만 팔리는 여성용 패션몰이 쉽게 정착할 수 있을까 하는 걱정이 앞선다. 앞으로 관심을 가지고 지켜보기로 하자.

싸게 판다는 유혹

인터넷상에 점포만 개설해 놓으면 물건이 팔릴 것 같으나 절대 그렇지 않다. 혹자는 점포 비용이 들지 않으니 남보다 싸게 팔면 되지 않겠느냐는 사람도 있다. 그러나 그런 식의 접근이라면 더 싸게 파는 사람이 나타나는 순간 가게를 걷어치워야 논리적으로 맞을 것이다. 어느 분야나 가격 경쟁은 마지막 경쟁이며 오래가지 못한다.

최소 6개월은 정보만 제공하라

인터넷 비즈니스는 최소한 6개월 정도는 거래를 기대하지 말아야 한다. 오프라인 가게라면 문을 여는 당일에도 얼마든지 매출이 일어날 수 있지만 인터넷 가게는 그렇지 않다. 일단 알려지기까지 시간이 필요하고, 알려졌다고 해도 이들이 신뢰를 가지고 상품을 구입하기까지는 시간이 걸린다. 그 기간이 최소 6개월이다. 상품을 팔기 전에 먼저 유용한 관련 정보를 충분히 제공하여 관심 있는 사람들이 몰려들 수 있도록 커뮤니티의 장場을 만들어야 한다. 인터넷에서는 상품 이상의 그 무엇이 있어야 한다. 그것이 정보든 무형의 가치든, 아니면 소속감이든 그 무엇을 플러스알파로 줄 수 있어야 한다. 정보와 즐거움을 얻으러 왔다가 물건을 사게 해야 한다는 것이다. 오프라인 가게는 지나다가 들를 수도 있지만 인터넷에서는 소문을 듣고 오게 해야 한다.

　어느 전문가는 이를 펌프에 비유하기도 한다. 펌프에서 물을 끌어올리려면 먼저 물을 몇 바가지 부으면서 공회전을 시켜야 한다. 그리하여 그 안에 든 공기가 빠진 다음에야 서서히 물이 올라오기 시작한다. 인터넷 비즈니스에서도 그런 과정이 선행되어야 한다. 인터넷에서 립스틱을 판다면 립스틱을 팔기 전에 '입술의 미학'에 관해 동서고금의 광범위한 정보를 제공하라는 것이다. 입술을 아름답고 섹시하게 가꾸는 법, 한의학적으로 본 입술과 건강, 입술과 섹시함의 상관 관계, 유명 스타들의 입술화장 등 입술화장과 관련하여 폭넓은 정보를 꾸준히 제공하여 하나의 커뮤니티를 만들어가야 비로소 서서히 궤도에 오르기 시작한다. 특히 소규모로 시작하려는 사람들은 절대로 욕심내서는 안 된다. 좁은 전선에서 승부를 겨뤄야 한다. 인터넷에서 홍화씨를 판다면 홍화씨의 약효, 효능에 대해, 그리고 이를 복용하고서 효과를 본 사람들의 증언 등 풍부한 읽을거리를 지속적으로 제공해야 한다. 다음 사례를 보자.

⚜ 정보를 제공하는 아마존과 물건만 팔았던 시디나우

인터넷 초창기에 등장한 아마존Amazon.com 서점과 음반판매점 시디나우CD Now의 사례를 보자. 아마존 서점은 단순히 책을 판매하는 곳이 아니라 도서에 관한 정보를 제공하는 커뮤니티를 포지셔닝으로 설정했다. 예를 들어 어느 한 주제의 도서를 검색한다면 그 주제와 관련된 다양한 도서 정보가 함께 제시된다. 또 특정 제목의 책을 클릭했을 경우에는 이전에 그 책을 구입했던 사람들이 함께 구입한 도서 목록도 제시된다. 그렇게 함으로써 특정 주제에 관심을 가지는 사람들이 어떤 책들을 읽는가를 함께 알 수 있다. 이에 비해, 시디나우의 경우는 오프라인의 가게를 인터넷에 옮겨놓는 것으로 포지셔닝을 잡았다. 결국 두 기업의 명암은 극명하게 갈리고 말았다. 인터넷 비즈니스는 먼저 정보를 제공해야 한다. 판매가 우선이라는 생각이 자리하는 순간 인터넷 비즈니스는 벽에 부딪히게 된다.

사례 연구

오프라인에서 팔리는 물리적 상품 대부분은 인터넷을 통해서도 판매가 가능하다. 다만 배송이나 신선도에 문제가 있는 상품은 곤란하다. 그러나 요즘은 농산물은 물론이고 수산물, 축산물까지 인터넷에서 거래되고 있어 이의 경계도 점점 넓어지고 있다. 여기서는 BtoC 모델 중 물리적인 상품, 디지털 상품, 서비스 상품 중 모델이 될 만한 경우를 분야별로 몇 가지씩 연구해보기로 하자.

⚜ 델 컴퓨터

인터넷 서점 아마존이나 인터넷상에서 컴퓨터를 판매하는 델 컴퓨터 등이 BtoC 모델의 전형적인 사례다. 델 컴퓨터는 인터넷 이전부터 전화, 팩스 등을 통해 컴퓨터를 팔던 기업이었다. 이것을 인터넷으로 옮겨 온 것이다. 델은 자체적으로 컴퓨터를 만들지는 않으나 컴팩이나 게이트웨이, 휴렛팩커드 등 쟁쟁한 컴퓨터업체들을 제치고 미국 내 판매 1위를 고수하고 있다. 하루 매출이 1000만 달러, 우리 돈으로 100억 원을 넘는다. 비결은 다양한 맞춤 서비스에 있다. 선택할 수 있는 다양한 옵션을 고객 스스로가 선택할 수 있는 일종의 맞춤형 컴퓨터다. 주문한 상품이 지금 어디쯤 오고 있는지도 조회할 수 있다. 물리적 상품 BtoC 모델의 고전이다.

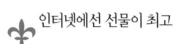

인터넷에선 선물이 최고

인터넷에는 국내외를 막론하고 선물 가게가 많다. 선물은 특성상 고르는 번거로움이 있고, 제삼자로 하여금 배송케하는 경우가 대부분인데, 이 역할을 인터넷 가게들이 충실히 해주기 때문으로 보인다. 또 일반 상품들보다는 단가가 높고, 포장이나 가공 기술에 따라서는 부가가치도 높일 수 있기 때문이다.

아이템도 다양하다. 백화점식 선물 가게가 있는가 하면 하나의 주제로 전문화된 선물 가게도 많다. 요즘에는 백화점식보다는 전문점식의 선물 가게가 늘고 있다. 전문점식 선물 가게의 특징은 처음부터 인터넷 공간을 겨냥하여 창업한 것이 아니라 기존의 오프라인 가게 홍보를 겸해서 인터넷에 올리는 경우가 많다는 것이다. 홍보도 하면서 플러스 알파의 매출도 올리는 것이다.

기프트시티giftcity의 사례를 보자. 이는 인터넷 초창기 미국에서 시작한 종합 선물 가게다. 선물 수요가 가장 많은 20~30대 직장인들을 대상으로 선물을 판매하는 곳이다. 여기서는 선물만 파는 것이 아니라 다양한 서비스도 제공해준다. 생일이나 각종 기념일에 주고받을 수 있는 다양한 아이템을 갖추어놓고 선물 고르는 일부터 선물과 함께 보낼 카드 작성, 배달 등의 번거로운 일들을 모두 대행해준다.

또 생일이나 기념일을 맞는 사람들이 분위기 좋은 음식점을 많이 찾을 거라는 가정 아래 레스토랑 안내를 곁들이고 있다. 단골 고객인 경우에는 고객의 주요 기념일이 다가오면 이를 이메일로 알려주는 서비스도 제공한다. 또 고객의 대부분이 직장인들이라는 점을 감안하여 직장인들의 먹거리 문제도 해결해준다. 즉 지역별로 식사하기에 괜찮은 식당 정보를 올려 선물이 아니더라도 직장인들이 자주 방문하여 친밀감을 느낄 수 있도록 서비스를 제공하는 것이다.

그러나 이런 식의 포괄적인 선물 가게는 초창기였기에 가능한 아이템이 아니었을까 생각된다. 지금 이런 식으로 시작하기에는 조금 늦은 감이 없지 않다. 돈과 시간이 많이 든다. 물론 모든 장사는 '아이템'이 문제가 아니라 '어떻게'가 좀더 중요하다는 전제에서 말이다. 범위를 좁히고 좀더 전문화된 주제와 아이템으로 접근하는 게 바람직할 것으로 보인다. 선물 중에서도 생일 선물만 전문으로 취급한다든지 하는 식으로 말이다.

우리나라에 있는 인터넷 선물 가게 중에는 상품만 파는 게 아니라 생일 축하용 밴드까지 파견해주는 곳도 있다. 여자친구의 생일 선물이라면 선물은 물론이고, 생일 파티 장소로 바이올린, 피아노, 첼로 등으로 구성된 밴드까지 파견해주는 것이다. 피아노는 옮겨 다닐 수 없기 때문에 현지에서 준비해야 한다. 악단 파견만을 전문으로 하는 인터넷업체가 있으니 이들과 제휴를 하면 간단히 해결할 수 있다.

⚜ 표준화 아이템 – 포도주

인터넷에서 포도주를 파는 곳이 많다. 앞서의 장에서 지적한 인터넷상거래에 필요한 요소, 즉 표준화된 아이템, 가슴에 와 닿는 아이템, 선물용으로 적합하기 때문이다. 물론 우리나라에서는 아직 가슴에 와 닿는 아이템은 아닌 것으로 보아야 한다.

인터넷 최초의 포도농장은 버추얼빈야드virtual vineyard로 1995년에 문을 열었다. 이곳 역시 인터넷 비즈니스의 정석에 가깝다. 포도주 판매가 우선이 아니라 좋은 포도주를 고르는 법부터 포도주를 제대로 마시는 법, 음식과 포도주의 궁합 등 고객들에게 와인에 대한 정보 제공을 우선으로 하고 있다. 또 세계 최고급 수준의 와인만을 취급하여 그곳의 포도주면 믿을 수 있다는 소비자의 신뢰를 쌓았으며 포도주 생산업체들에 관해서도 자세한 정보를 제공하고 있다. 전자상거래에서는 이처럼 정보를 먼저 제공하여야 한다.

또 선물용으로 많이 팔리는 포도주의 특성을 감안하여 포장은 물론 함께 보낼 카드에 기입할 문구까지 꼼꼼히 조언을 해준다. 이들은 또 부가가치를 높일 방안으로 목걸이도 취급하고 있다. 여자친구의 생일에 포도주를 선물하는 척하면서 포도주 병에다 목걸이 하나를 걸어 함께 선물하는 것이다. 이른바 포도주 액세서리다. 포도주보다 목걸이 가격이 훨씬 비싸다. 그러자 목걸이 포도주는 불티나게 팔리기 시작했다. 이처럼 인터넷 사이트에서는 풍부한 정보 제공과 소비자의 섬세한 욕구를 파악하여 부가가치를 높이는 일이 중요하다. 우리나라의 경우 포도주는 아직 생활화되지 않았지만 머지않아 큰 시장으로 성장할 수 있을 것으로 보인다. 이제 막 등장하고 있는 중이다.

⚜ 비표준화 아이템 ─ 인터넷 농산물 사업

농산물은 가장 비표준화된 아이템 중 하나다. 그러나 이런 아이템도 거의 인터넷에 올라오고 있다. 농산물 종합백화점식의 사이트가 있는가 하면 특정 아이템 하나로만 승부를 거는 사이트도 있다. 종합백화점형에서는 꿀, 홍삼, 쌀, 고추, 마늘, 김치, 야채류 등 농산물 외에도 떡, 한과류, 전통 가공식품, 민속 공예품으로까지 범위를 넓히고 있다.

이런 상품들은 직접 확인할 수 없기 때문에 소비자들의 신뢰가 절대적으로 필요하다. 한번 신뢰가 흔들리면 거의 회복 불능의 상처를 입을 수 있는 것이 이 분야다. 따라서 이들 상품을 아이템화할 때는 할 수 있는 것은 모두 표준화, 규격화해야 한다.

경북 청송의 농부 심모씨, 그는 무공해, 무농약 태양초 고추를 생산하는 농민이다. 유기농협회 회원이기도 하다. 가능한 한 농약을 쓰지 않는다. 그는 자신이 농사지은 고추를 인터넷에 올렸다. 별로 팔릴 것이라고는 기대하지 않았다. 그러나 품질만은 자신이 있었던 그이기에 소량 주문이 와도 자신이 직접 농사지은 최고 품질의 무공해 청정 고추를 정성껏 배달해주었다. 그러자 품질에 대해 소문이 나면서 지금은 연간 2000만 원의 매출을 올리고 있다고 한다.

심씨의 소문을 듣고 여러 사람이 인터넷 농산물 사업에 뛰어들었지만 동료들 대부분은 실패하고 말았다. 주문이 늘어나자 품질의 일관성을 지키지 못해 소비자들의 신뢰를 잃었기 때문이다. 비표준화 아이템은 소비자 신뢰 구축과 표준화 작업을 끊임없이 병행해나가야 한다.

⚜ 공간 절약형 아이템 ─ 인터넷 가구점

가구는 인터넷을 통해 팔기 좋은 아이템 중의 하나다. 가구는 공간 점령형 상품이기 때문에 넓은 매장과 큰 창고가 필요하다. 그러나 이를 인터넷으로 판매한다면 비싼 매장 비용이 들지 않기 때문이다. 인터넷이라는 가상공간에 종류별 가구를 진열해놓고 배송만 하면 되기에 일반 가구보다 훨씬 저렴한 가격에 팔 수 있다. 오프라인 판매를 하는 기업이라면 홍보 효과를 노린 온라인을 겸할 수 있어 더욱 좋다.

좀더 발전된 경우는 DIY 가구다. DIY란 'Do it yourself!'의 약자로 스스로 조립하는 가구를 의미한다. DIY 가구의 경우에는 매장은 물론 창고 비용까지도 절약할 수 있어 더욱 좋다. 미국에서는 이런 아이템이 아주 잘 된다. 부모들이 인터넷에서 아이들의 침대나 책상 디자인, 색상 등을 지정한 뒤 재료를 받아 직접 조립해주는 것이다. 그러면 아이들도 훨씬 좋아할 것이고, 아버지의 사랑도 확인할 수 있어 더욱 좋다. 한 가지 염려되는 것은 우리나라 사람들은 손 놀리기를 싫어하는 경향이 있다는 것이다. 가구도 책상도 완제품, 그것도 유명 브랜드라야 체면이 선다고 생각한다. 그러나 누군가 나서서 바람을 일으키면 큰 시장으로 키울 수 있을 것으로 보인다.

우리나라에도 이를 시도하는 곳이 몇 곳 있다. 내디내만my-diy.co.kr이라는 사이트다. '내디내만'은 '내가 디자인하고 내가 만든다'의 약자다. DIY 가구를 인터넷으로 구입할 경우에는 조립에 필요한 자세한 설명서는 물론이고, 조립에 필요한 공구까지 함께 배송해준다. 가격도 크게 절약할 수 있다고 한다.

유럽식 DIY 제품을 우리나라에서 판매하는 기업도 나타났다. 유럽의 유명 DIY 가구인 스칸빅Tvilun-Scanbirk 제품을 국내로 들여와서 인터넷을 통해 판매하고 있다. 이들에 의하면 가구야말로 전자상거래 아이템으로 가장 적합하다고 한다. 매장도 필요도 없고 넓은 창고를 마련할 필요도 없기 때문이다. 대신 거기에서 절약한 비용을 소비자 혜택으로 돌릴 수 있다. 조립형 장난감인 레고 세대들이 사회의 주축이 되면 이 시장은 활성화될 것이 분명하다.

시간 절약형 아이템 — 애완용품

인터넷에서 잘 팔리는 상품 중에는 애완동물관련용품들이 있다. 이것이 잘 팔리는 이유는 무차별적이라는 점이며, 다음으로는 시간 절약형 아이템이라는 것이다. 애완견 먹이가 떨어져간다면 인터넷을 통해 상품명과 용량만 정해주면 집으로 도착하기 때문에 굳이 충무로까지 나가지 않아도 된다. 고양이 장난감 같은 경우도 마찬가지다. 이 점은 낚시미끼의 경우에도 해당된다. 미국에서는 낚시미끼가 인터넷으로 잘 팔리는데 이 역시 무차별적인 아이템이며 시간 절약형 아이템이다. 여기서 말하는 낚시미끼는 지렁이나 떡밥 등 민물낚시용이 아니라 루어낚시나 플라이낚시에 사용되는 미끼다. 또 시간 절약형 아이템 중에는 제수용품도 있는데, 이번 주말에 제사가 있다면 인터넷으로 주문하면 굳이 주중에 시간을 내지 않아도 된다. 이런 식으로 아이템을 선정할 때는 소비자들의 섬세한 소비심리까지 염두에 두어야 한다. 입장권이나 항공 티켓 예매 같은 경우도 시간 절약형에 속한다. A와 B 중에서 고르지 않아도 되는 것이 무차별적인 상품의 특성이다.

🔱 가격 절약형 아이템

하프클럽halfclub.com이라는 곳이 있다. 이곳은 국내 유명 패션 브랜드를 50~80%까지 저렴하게 파는 곳이다. 비결은 재고 처리 문제로 어려움을 겪고 있는 유명 브랜드 제조업체를 주주로 참여시키는 것이다. 문을 연 지 3년 정도 만에 회원만 80만 명, 월매출 10억 원 선이라고 한다.

🔱 인터넷 글로벌 백화점

요즘 쇼핑몰의 새로운 트렌드는 해외 쇼핑몰이다. 인터넷에는 공간 개념이 없기에 서울의 집에 앉아서도 미국 유수의 백화점 나들이를 할 수 있다. 국내에서는 대기업 위주로 이 시장에 참여하고 있는데, 빠른 속도로 성장하고 있다. 단적인 예로 요즘 같은 불황기에도 전년 대비 70%의 성장을 하고 있다. 2001년도 SK가 선보인 위즈위드wiswid.com나 대한통운에서 운영하는 지오패스geopass.com 등이 대표적이다. 그 외에도 70~80여 개가 운영되고 있다.

위즈위드의 경우 문을 연 지 2년 만에 회원 수 50~60만 명을 돌파하였다. 이곳의 강점은 원클릭 해외 쇼핑이다. 클릭 한 번으로 해외 쇼핑을 할 수 있다는 것이다. 고객이 상품 선택만 완료하고 나면 구매, 통관, 관세, 택배 등 전과정을 대행해준다.

⚜ 인터넷 수입 대행

위의 사례와는 조금 다르지만 개인을 위한 수입 대행 사업
이 활기를 띄고 있다. 앞의 사례가 대규모 자본을 필요로 하는 대
기업형이라면, 이는 소규모 소호 수준이다. 상업적 단위의 많은
물량이 아니라 기호품이나 취미생활관련품, 특수 화장품, 국내에
서 구하기 힘든 상품 등을 취급한다. 이런 상품을 구입하기 원하
지만 무역에 관한 기본 지식을 갖추지 않았기 때문에 혼자서는
해결할 수 없는 사람들을 위한 수입 대행이다.

어느 분야나 마찬가지지만 처음에는 만물상으로 출발하여 누
구를 위해서든 무엇이든 다 구해준다고 했지만 요즘은 한창 분화
가 진행중이다. 아이템별로 유명 브랜드의 화장품, 골동품, 희귀
품, 악기류 등을 전문으로 하는 곳이 있는가 하면 지역별로 나뉘
어 중국 상품만 취급하는 전문점도 있다. 무역에 밝고, 자신이 경
험한 잘 아는 분야의 아이템이 있을 경우에는 적은 자본으로도
시작할 수 있을 것이다.

⚜ 커뮤니티형 여성종합백화점

인터넷은 아무래도 여성에게 좀더 적합한 매체다. 아날로
그가 논리적이라면 디지털을 기반으로 하는 인터넷은 다분히 감
성적이기 때문이다. 그리고 접속하는 빈도와 시간에서도 여성이

절대적으로 유리하다. 그래서 인터넷 비즈니스의 기본으로 여성을 베이스에 깔아야 한다. 이것이 세계적인 추세다. 또 여성을 대상으로 하는 정보는 패션, 헤어스타일, 미용, 피부관리, 성형, 네일, 요리, 건강, 임신, 출산, 쇼핑 등 풍부하다.

여성을 대상으로 인터넷 비즈니스를 할 수 있는 방법은 대략 두 가지가 있다. 여성에게 꼭 필요한 전문 정보를 올릴 수 있다면 유료 회원제로 할 수도 있고 개별 상담으로 수익을 창출할 수도 있다. 이혼 문제 등도 그 범주에 들 수 있을 것이다. 그러나 이것도 처음부터 유료 회원제로 접근하기보다는 어느 정도 회원을 확보한 다음 유료 회원제로 전환해야 한다. 전문 정보가 아니더라도 많은 여성들이 찾을 수 있는 유익한 정보라면 관련 상품의 판매를 곁들일 수 있을 것이다.

우먼닷컴women.com은 미국에서 운영되는 여성 종합사이트다. 이곳은 그야말로 여자의 일생에 걸친 필요한 모든 정보와 상품을 다 갖추고 있다. 태어나서 유아기, 아동기를 보내고, 사춘기의 고민과 방황을 거쳐 짝을 찾고 결혼을 하고 아기를 낳는다. 이런 단계마다에 필요한 상품을 모두 갖추고 있다. 그러나 이 사이트에 들어가보면 이곳이 과연 장사를 전문으로 하는 곳인가 하는 의문이 든다. 여자의 일생에 걸쳐 여성 문제를 무료로 상담해주는 곳이 아닌가 하는 느낌이 들 정도다. 우선 여성의 성장 단계마다 갖게 되는 모든 고민을 상담해준다. 사춘기의 갈등, 사랑 문제, 남자친구의 생일날에 줄 선물까지도 상담해준다.

결혼을 하면 결혼에 필요한 상담과 준비, 결혼에 필요한 상품도 판다. 하다못해 결혼하여 아기를 낳으면 아기 이름 짓는 것까지도 상담해준다. 매달 400만 명이 넘는 여성들이 방문하며 회원만 100만 명을 돌파하고 있다고 한다. 우리나라의 우먼플러스 womenplus.co.kr도 이와 비슷한 시도로 보인다.

그러나 이제 이런 식의 광범위한 접근은 확실한 수익 모델이 없는 한 위험할 수 있다. 많은 자금과 노력이 필요하기 때문이다. 얼마 전 여성 종합사이트로 출범하여 "선영아 사랑해!!"로 화제가 되었던 마이클럽닷컴miclub.com도 이런 사례인데, "선영아 사랑해!!"를 알리기 위해 엄청난 광고비를 들인 것을 기억해야 할 것이다. 이제는 범위를 좁혀 접근해야 한다. 어느 한 분야, 예를 들면 다이어트 전문 사이트로 시작하여 서서히 범위를 넓혀가는 식의 접근이 좀더 바람직할 것으로 보인다.

처음부터 상품 판매와는 거리를 두고 콘텐츠 사이트로 출발하는 것도 방법일 수 있다. 고민 많은 사춘기 소녀들을 대상으로 하는 무료 상담만을 전문으로 해주다가 회원들이 폭발적으로 늘어나면 광고를 유치하여 수익원으로 삼는 것이다. 결혼을 앞둔 여자들을 위해 무료 궁합 사이트를 운영해도 좋을 듯하다. 궁합은 무료로 보아주되, 회원 수를 늘려 광고를 유치하는 방법이다.

여기서 전자상거래와 콘텐츠 사업을 한 번 더 정리해보자. 콘텐츠 사업은 원래는 상품을 팔지 않는 곳이어야 한다. 유료 회원제로 운영하든지 무료 회원제에다 유료 상담을 해주는 유형이 정석이다. 유료 회원제에다 유료 상담을 겸할 수도 있다. 이는 콘텐츠가 얼마나 좋으냐에 달렸다. 그러나 어느 특정 분야의 정보를 올리다 보면 회원들이 관련 상품의 구입을 원하게 된다. 예를 들어 뜨개질 정보를 올리다보면 회원들이 뜨개질에 필요한 재료 구입을 원하게 된다는 것이다. 이것을 겸하게 되면 전자상거래가 된다. 결론적으로, 처음부터 콘텐츠 사업으로 출발하는 경우는 물론이고 전자상거래를 염두에 두는 경우라도 풍부하고 재미있는 콘텐츠로 접근해야 한다. 그것이 많은 회원들을 모을 수 있는 출발점이기 때문이다. 두 영역의 구분이 점차 사라지고 있다.

실전을 위한 연습

변비 사이트

여성 관련 아이템은 많기도 하다. 다이어트나 변비도 그 중 하나다. 다이어트 사이트는 이미 너무 많기 때문에 시장 침투가 쉽지 않을 것이다. 변비는 아직 여력이 있어 보인다. 변비 중에서도 '함초'를 이용한 변비 사이트를 만들어보자.

변비 치료에 좋은 자연식품으로 일반인들에게 알려진 것으로는 역삼씨, 결명(자)씨, 나팔꽃씨, 생땅콩 등 여러 가지가 있다. 자연식품 중에 일반인들에게 거의 알려지지 않은 것으로는 '함초'가 있다. 염초라고도 불린다. 프랑스 요리에 아주 조금씩 맛보기로 나오는 식품이다. 그만큼 귀한 것이다.

그런데 이 함초의 세계적인 주산지가 우리나라 서해안이다. 수도권 가까운 곳으로 김포나 검단에서 조금만 더 바닷가로 가면 소금기 있는 개펄에 지천으로 자라난다. 이것이 세계적인 변비 특효약 겸 건강식품인 함초다. 우리나라에도 환으로 만들어 공급하는 곳이 몇 곳 있기는 하다. 그러나 아직은 개척의 여지가 얼마든지 있는 아이템일 듯.

함초는 지구상에서 유일하게 소금을 흡수하면서 자라는 식물로 알려져 있는데, 함초에 들어 있는 바닷물 농축 효소는 지방과 단백질 분해에 탁월한 효과가 있다. 이것이 숙변 속에 남아 있는 중성지방질을 독소와 함께 녹여낸다고 한다. 숙변뿐 아니라 자궁근종, 축농증, 고혈압, 저혈압, 요통, 당뇨, 기관지 천식, 갑상선, 피부, 관절 등에도 뛰어난 효과를 가지고 있다. 물론 변비가 일차적인 효능이다. 정상적인 사람도 며칠 먹으면 숙변이 모두 빠져나와 몸이 아주 가벼워진다고 한다. 자, 이를 이용한 변비식품을 만드는 것이다.

우선 학술적인 자료를 확인한다. 서해안 바닷가로 가서 실물을 채취, 효과를 확인한다. 드레싱을 곁들여 날 것으로 먹어도 좋고 환으로 지어 먹어도 좋다. 증세에 따라 어느 정도의 양을 얼마 동안 먹어야 하는지 표준화 작업을 한다. 그러고 나서 인터넷 사이트에 함초 전문 사이트를 개설하여 동호회를 만든다. 함초에 대한 홍보도 하고 판매도 곁들인다. 홍보만 잘하면 6개월 안에 승부가 날 수 있을 것으로 추정된다.

⚜ 오프라인을 온라인으로 — 일본의 편의점

24시간 물건을 살 수 있는 편의점은 사람들의 생활 양식마저 바꾸어 놓았다. 일본의 경우 전국적으로 8000여 개의 점포를 가진 세븐일레븐이 일본 최대의 대형 양판점 다이에이의 매출을 능가했다. 이들의 성장은 거기에 그치지 않고 이제 이커머스 e-commerce 단계로의 진화를 거듭하고 있다.

일본 전역에 분포된 점포를 보면 세븐일레븐이 8000여 개, 로손이 7000여 개, 훼미리마트가 5500여 개에 이른다. 이들이 일본 전역에 고르게 분포되었다고 가정해보자. 그러면 훌륭한 물류기지로서의 역할을 하게 된다는 것이다. 이 기능을 이용하여 세븐일레븐은 세븐드림닷컴7dream.com을 설립하여 CD나 DVD, 컴퓨터, 가전제품, 여행상품 등의 물류기지로 거듭나고 있다.

이런 상품들은 세븐일레븐 점포에서 판매되는 것은 아니다. 판매는 가상공간인 세븐드림닷컴에서 이루어지고, 고객은 자신의 생활권에서 가장 가까운 세븐일레븐 가맹점에서 물건을 찾게 하는 시스템이다. 영화나 연극, 공연 티켓도 이런 식으로 구입할 수 있다. 이 네트워크를 통해 선물을 주고받을 수도 있다. 도쿄에서 오사카에 있는 친구에게 선물을 보내면 오사카의 친구는 자기집 가까운 편의점에서 선물을 찾을 수 있는 것이다. 수평 네트워크의 위력을 가장 잘 나타내는 비즈니스 모델이다. 우리나라에서도 편의점들이 일부 인터넷 비즈니스 기업과 제휴하여 물류기지로서의 기능을 수행하고 있다.

⚜ 온-오프 겸용 배터리 전문점

인터넷에서 배터리 전문점 배터리뱅크batterybank. co.kr를 운영하고 있는 S씨, 그는 배터리 제조업체에서 오랫동안 근무한 이 분야의 전문가다. 회사를 퇴직한 그는 온라인과 오프라인을 겸한 배터리 전문점을 열기로 하고, 서울 변두리에 조그만 오프라인 가게를 차리고 인터넷 쇼핑몰도 동시에 구축했다. 배터리는 건전지에서부터 희귀 배터리에 이르기까지 종류가 아주 다양하다. 그러나 이를 전문적으로 취급하는 곳이 없다는 데에 착안한 것이다. 배터리뿐 아니라 각종 충전기, 공 MD, 필름 등 유사아이템을 곁들였다. 1년이 지났을 때의 매출은 3000만 원, 그 중 1000만 원 정도가 인터넷을 통한 주문이라고 한다. 1년 정도가 지나면 월 1억 매출은 충분할 것이라고 한다.

밑줄긋기 　마이너스 알파의 자승(-α²)

기존의 오프라인업체들이 자신들의 상품이나 서비스를 온라인상에 올리면 온-오프를 겸하는 비즈니스가 된다. 홈페이지 만드는 것이 그리 어려운 일이 아닌 이상 많은 사람들은 이를 아주 쉽게 생각하는 경향이 있는 것 같다. 그러나 이는 생각처럼 쉽지가 않다. 우선 사례들을 살펴보면 잘 알 수 있다. 오프라인 성공 기업이 온라인에 뛰어들어 성공한 사례가 그리 많지 않다. 앞에서 본 배터리 전문점처럼 처음부터 온-오프를 겸하는 경우는 비교적 성공률이 높다. 또 델 컴퓨터처럼 처음부터 통신판매 등의 방법으로 상품을 팔던 사람이 온라인으로 옮겼을 경우에도 성공 가능성이 높다. 델 컴퓨터나 시스코Cisco는 성공했지만 미국 최대의 노트북 컴퓨터 제조업체인 오프라인 기업 컴팩Compaq이나 청바지의 대명사 리바이스Levis는 온라인 비즈니스에 실패했다. 기존 오프라인에서 성공했고, 그 유통망을 그대로 가지고 있는 기업이 온라인에 진출하는 경우 성공하기가 쉽지 않다.

왜 그럴까? 오프라인에서 성공한 기업이라면 오프라인에서 강력한 유통망을 가지고 있다. 그런 기업이 다시 온라인상에서 동일한 상품을 판매한다면 기존의 유통망이 힘을 잃게 되어 결국 어느 하나도 성공하기 어려워진다는 가설이 가능해진다. 오프라인에서 물리적 상품을 판매하는 기업이 온라인으로 진출하면 플러스 알파(+ α)의 매출을 올리는 게 아니라, 온라인에서 올린 매출보다 훨씬 더 많은 손실을 오프라인에서 감수해야 한다는 것이다. 플러스 알파가 아니라 마이너스 알파의 자승(- α^2)이 된다는 이야기다.

그러나 전국적인 규모의 유통망을 갖추지 못한 중소기업이나 소기업, 개인 등이 영위하는 아이템이라면 이는 분명 플러스 알파가 된다. 홍화씨나 상황버섯을 재배하여 출하하던 농민들이 이를 인터넷 기반으로 옮겨 온-오프를 겸하는 경우 오프라인에서의 매출보다 몇 배의 매출을 올린 사례가 많다. 또 디지털 상품이나 무형의 서비스 아이템들은 온라인을 겸할 수 있다면 수익에는 물론 홍보에도 훨씬 효과적이라는 게 지금까지의 분석이다. 온-오프 겸용 비즈니스를 생각하는 기업이라면 깊은 연구가 필요한 부분이다. 홍보, 이벤트 정도의 개념으로 활용하는 것은 어떨까?

- -

⚜ 솔루션과 택배를 겸하는 아이템

　　인터넷 비즈니스를 하려는 사람들이 기하급수로 늘어나는 데도 이들의 고민을 속시원히 해결해줄 사람은 그리 많지 않다. 아이템 선정도 그렇지만, 아이템을 선정했다 해도 쇼핑몰 구축은 어디서 어떻게 해야할지, 상품 주문이 들어오면 어떻게 배송할지 등의 고민은 여전하다. 고민이 있는 곳에는 아이템이 있는 법, 최근에는 이런 고민을 하는 사람들을 위한 솔루션업체가 등장하고 있다. 이트랜스dacometrans.com는 이런 사람들을 위해 쇼핑몰 구축과 택배서비스를 제공하는 곳이다. 상담과 주문이 폭발적으로 늘어나고 있다고 한다.

개성화 시대의 맞춤옷

기성복 시장에 빼앗겨 겨우 명맥을 이어가던 맞춤옷 시장이 인터넷 시대를 맞아 다시 살아나고 있다. 이는 맞춤이긴 하지만 단순한 맞춤 그 이상이다. 고객들은 옷을 구입하면서 자신이 직접 디자인을 하는 듯한 만족을 느낄 수 있다. 의류뿐 아니라 운동화도 맞춤 아이템이다. 이들은 인터넷 열풍 초기에 등장했다가 이런 저런 이유로 사라지는가 싶더니 다시 등장하여 자리잡은 아이템들이다. 미국의 랜즈엔드landsend.com, 아메리칸피트 americanfit.com, 커스토메틱스customatix.com 등이 있으며, 나이키도 이 시장에 참여하여 더욱 활기를 불어넣고 있다.

고객들이 선택할 수 있는 옵션은 대략 30여 가진데 천의 종류, 색깔, 스타일, 칼라 목둘레, 어깨, 칼라, 소매, 바지길이 등은 물론이고 헐렁이 스타일이냐, 배가 나왔느냐 등을 고려하여 옷을 입는 스타일까지 선택할 수 있다.

또 선택 중간중간에 자신이 선택한 옷을 미리 볼 수 있어 자신이 직접 디자인하는 듯한 느낌을 받는다고 한다. 구두나 운동화도 마찬가지다.

이 중 랜즈엔드는 오래된 의류기업으로 2001년부터 본격적인 맞춤옷 서비스를 시작했는데, 지금은 자사 판매액의 40%를 인터넷 맞춤으로 커버할 정도로 인기라고 한다. 옷의 종류별로 소비자들이 선택하는 조합을 모두 곱하면 무려 수만 가지의 조합이 나올 수 있다고 한다. 또 어떤 기업에서는 자신이 설계한 옷에 자신만의 브랜드를 넣을 수 있도록 하고 있다.

고객들은 이들 사이트에 접속한 후 몸무게, 신장, 허벅지, 엉덩이 사이즈 등을 입력하면 컴퓨터에서 디자인이 완성된다. 옷의 모양을 본 후 오케이 사인을 하면 이 정보는 곧장 공장으로 전송되어 재단에 들어간다. 주문에서 옷을 배달받기까지 대략 2~4주가 걸린다고 한다.

가장 큰 장점은 자신이 모든 옵션을 선택할 수 있다는 점이며 가장 큰 단점은 대량 생산이 아니기 때문에 가격이 상대적으로 비싸다는 것이다. 이 시장의 전문가들은 앞으로 자동화 기술이 좀더 발달하면 가격도 대폭 낮아질 것으로 전망하고 있다.

⚜ 인터넷 여론조사

인터넷을 통해 여론조사를 할 경우에는 시간 절약은 물론 경비도 지금의 3분의 1 내지 5분의 1 정도 절약될 수 있다. 대략 두 가지 경우가 가능할 것으로 보이는데, 하나는 의뢰하는 측에서 응답자를 지정하는 경우다. 예를 들면 20대 여성을 대상으로 화장품에 대한 인지도, 선호도, 사용경험 조사를 원한다면 미리 확보한 패널panel 중에 20대 여성만 골라 질문서가 담긴 메일을 발송하는 방식이다. 다른 하나는 개략적인 여론을 파악하기 위한 실시간 여론조사다. 사이트에 접속하는 사람들을 대상으로 지금 일어나고 있는 특정 사안에 대한 네티즌들의 의견을 실시간으로 집계하는 방식이다. 후자는 신뢰도에 있어서 다소 문제의 소지가 없지는 않다.

디지털 상품을 판매하는 경우

소프트웨어는 디지털 상품의 대표적인 아이템이다. 비욘드beyond.com는 인터넷상에서 소프트웨어를 판매하는 곳이다. 1994년에 서비스를 시작한 이들은 수만 개의 프로그램과 소프트웨어를 인터넷을 통해 판매한다. 고객이 관심을 갖는 소프트웨어에 대한 자세한 정보와 함께 대체 소프트웨어들과의 비교분석을 제시한다. 화면을 통해 대화를 하면서 자신에게 맞는 소프트웨어를 선택할 수 있다. 다운로드를 받으면 그것으로 모든 거래가 종료된다. 물론 유료다. 전문가들은 앞으로 시중에서 유통되는 소프트웨어의 절반 이상이 이런 식으로 거래될 것이라고 한다. 1998년에 나스닥에 상장되면서 일약 스타기업으로 떠오른 사례다.

전자도서eBook도 디지털 상품의 전형적인 사례일 것이다. 오프라인에 아날로그 형태로 존재하는 기존의 책들을 디지털 형태로 올려 원하는 독자들에게 다운로드해주는 방식이다. 이는 물론 출판사에서 할 수도 있지만 출판사가 아닌 제삼자가 접근해도 무방하다. 아니, 제삼자가 하는 것이 오히려 영역을 넓힐 수 있어 유리한 조건에 설 수 있을 것이다. 어느 한 분야로 주제를 정하고서 관련된 책을 내는 여러 출판사나 저자와 라이선스 계약을 맺고 인터넷에 올리는 것이다. 저자와 계약을 맺고 처음부터 인터넷상에서 연재소설처럼 써내려가는 방식도 가능하다.

오프라인 학원은 곧 사라진다

인터넷은 사실 교육 서비스를 제공하기에 가장 알맞은 곳이다. 교육 내용도 주제별로 고를 수 있고 아예 대학 과정을 인터넷에서 제공하는 곳도 있다. 각종 어학원은 물론이고, 운전학원, 제과·제빵학원, 레저, 건강, 이미용, 각종 자격증 등 전 분야를 망라한다. 또 사이버 학원의 한계인 대면성對面性 부족을 보완하기 위해 온−오프 겸용으로 운영하거나 오프라인에서 만나 학업성과를 체크하기도 한다.

미국의 경우 사이버 대학으로 유명한 곳은 ZDUzdu.com로 주로 인터넷상에서 컴퓨터와 관련된 콘텐츠를 제공하고 강의를 한다. 여기에 유료 회원으로 가입하면 회원들은 시간에 구애받지 않고 콘텐츠나 강사의 강의를 통해 교육을 받을 수 있는데, 교육 효과는 오프라인 교육보다 나은 것으로 평가되고 있다. 오프라인에서의 교육은 하기 싫어도 정해진 시간에 억지로 들어야 하는 것이지만 인터넷에서의 공부는 자기가 하고 싶을 때, 자발적으로 참여하기 때문이라고 한다. 우리나라의 캠퍼스21campus21.co.kr 같은 곳도 가상대학이다.

기업체 대표나 간부들을 대상으로 경제, 경영, 마케팅 강좌를 온-오프라인 연계로 중계해주는 곳도 있다. 매주 한 번 정도로 강좌가 열리는데 회원들만 들을 수 있다. 물론 직접 참여해서 들으면 질의 응답을 할 수 있어 좋겠지만 참석할 수 없는 회원들은 사후에 인터넷을 통해 동영상 강의를 들을 수 있는 시스템이다. 유료 회원제로 운영된다. 이런 시스템이 활성화되면 오프라인상의 학원은 실습이 필요한 몇 곳을 제외하고는 사라질 날도 머지 않은 듯하다.

온라인 교육시장의 돌풍을 일으킨 이투스

대입 수능시험 시장에 돌풍이 불고 있다. 스물여섯 살의 젊은 청년이 사이버 학습시장에 나타나 시장을 흔들고 있기 때문이다. 이투스etoos.co.kr는 수능 5대 천왕이라고까지 일컬어지는 꽃미남 스타 명강사들의 수능강의를 인터넷 동영상으로 보내주는 사이버 학원이다. 격조 높은 내용과 파격적인 가격으로 과외 열풍을 잠재우겠다는 그의 야심 찬 꿈처럼 무서운 기세로 진군하고 있다. 이투스의 김문수 사장은 일반인들은 거의 알지 못하지만 '누드 교과서'라는 제목의 수능 참고서로 2년 만에 150만 부를 판매한 베스트셀러의 저자이기도 하다. 그는 이를 기반으로 사이버 학원을 설립해서 기존 학원들의 아성에 도전하고 있는 무서운 젊은이다.

🔱 내 아이는 지금…

아이를 유치원에 보낸 맞벌이 부부. 보고 싶은 것도 보고 싶은 거지만 아이가 잘 놀고 있는지 늘 궁금하다.

이를 해결한 아이템이 유치원 모니터링시스템이다. 웹 브라우저 화면으로 아이의 노는 모습을 실시간으로 볼 수 있게 만든, 엑시스 커뮤니케이션 코리아에서 제공하는 시스템으로 유치원 내부에 설치된 카메라에 잡힌 영상은 서버로 옮겨지고 이것이 곧바로 인터넷 화면에 뜨도록 했다. 물론 인증을 받은 사람만 볼 수 있다.

직장에 있는 부모는 수시로 아이의 노는 모습을 볼 수 있다. 아이를 지켜보다가 유치원 선생님들과 직접 이메일로 대화를 할 수도 있다. 유치원에서 이 장비를 갖추는 데 1000만 원 정도가 든다고 한다. 하나 둘 이런 시설을 갖추는 유치원이 늘어나면서 이 시스템을 공급하는 회사는 돈방석에 올랐다. 이런 유치원에 다니는 아이의 시골 할아버지 할머니는 더 좋아하신단다. 손자들이 뛰노는 모습을 시골에서도 볼 수 있으니 말이다.

🔱 신생아실 모니터링

산부인과 병원에도 이를 설치하는 곳이 늘어나고 있다. 아기를 출산한 엄마는 일단 아기와 떨어져 있게 된다. 그래서 시시각각으로 아기를 보고 싶지만 여의치 않다. 이런 틈새시장을 뚫은 벤처기업이 나타났다. 아이디암idarm.com이라는 이 회사는 DVR 시스템을 통해 신생아실에 카메라를 설치하여 산모나 가족이 언제든 아기를 볼 수 있도록 만들었다. 신생아 관찰 외에도 시간대별로 프로그램을 편성하여 육아관련 프로그램, 관련상품 광고 방송 등을 볼 수 있다. 또 산모가 퇴원할 때 신생아의 모습을 동영상으로 담은 전자앨범을 제작해서 부모에게 전달한다. 육아관련 프로그램에 광고를 실어 방영함으로써 독특한 수익 모델을 창출했다는 강점을 가지고 있다. 이 아이템은 올 상반기 이노비즈inno-biz 모델로 선정되기도 했다. 아기와 떨어져 있어야 하는 엄마의 마음을 상품화한 기발한 아이템이다.

이들의 수익 모델을 보면 병원 설치는 무료다. 유명 산부인과 병원들은 다투어 설치를 희망하게 된다. 앞으로 설치비의 일부를 받을 수도 있을 것이다. 수익 모델은 유아관련용품 광고다. 산모가 아기를 보는 동안 시간대별로 편성된 육아 프로그램을 시청하면서 중간중간에 광고를 보는 것이다. 또, 아기가 퇴원을 할 때

건네주는 전자앨범도 수익 모델이다.

이런 장치가 인기를 끌자 일부 학원에서도 이 시스템을 설치하는 곳이 생겨나고 있다. 공부하러 간다고 학원에 가기는 갔는데, 제대로 하고 있는지 궁금한 부모들을 위해서다. 어느 인터넷 사이트에서는 박찬호의 경기를 인터넷으로 생중계하여 일약 스타기업으로 등장하기도 했다. 앞으로도 이를 응용한 아이템들이 적지 않게 쏟아질 전망이다. 관심 있는 분들의 깊은 연구를 바란다.

⚜ 서비스 상품을 판매하는 곳

BtoC 모델은 오프라인상의 점포를 가상공간으로 옮겨 놓은 곳이기에 여기서 상품을 구입한다 하더라도 종료되는 것이 아니고, 이의 후속 조치로 실물이 오가야만 거래가 완전히 종료된다. 즉 배송의 문제가 뒤따르는 것이다. 그러나 인터넷에서 거래되는 서비스 상품은 배송 비용이 들지 않는다. 뿐만 아니라 가상공간에서 모든 거래가 종료된다. 아이템과 모델만 잘 선택한다면 실물거래보다 수익성이 훨씬 나은 모델이 될 수 있다. 의학, 법률, 다이어트 등의 상담이나 게임, 오락, 보험, 여행상품, 교육, 티켓 판매 같은 것들이 여기에 해당될 수 있을 것이다. 물론 여행상품이나 티켓 판매 등은 예약 티켓을 별도로 배송해야 하지만 실물의 배송과는 개념이 다르다.

미국의 트래블러시티travelocity.com는 여행에 관한 모든 것을 제공해주는 곳이다. 이곳에서 여행지에 대한 정보를 제공받을 수 있으며 티켓을 예매하고 호텔을 예약할 수 있다. 렌터카까지 예약할 수 있다. 이곳에서는 항공사나 여러 여행사로부터 정보를 제공받아 아주 저렴한 비용으로 여행할 수 있도록 안내해준다. 항공 티켓이나 호텔을 예약하는 경우에도 정상가 이상을 받지 않는다. 오히려 고객이 저렴하게 여행할 수 있도록 가장 싼 곳을 추천해준다.

수익은 이 사이트에 오르는 광고와 항공사, 여행사로부터 받는 예약 수수료로 창출한다. 미국에는 이런 사이트가 수없이 많으며 우리나라에도 적지 않다. 특화된 서비스를 제공할 수 있는 모델 개발과 고객 서비스가 승부의 관건이다. 각종 공연 티켓을 판매하면서 영화의 주요 장면을 화면으로 보여주는 서비스를 제공하기도 한다.

이러한 서비스, 즉 제삼자가 들어설 자리가 생기는 이유는, 특정 항공사나 여행사 홈페이지에는 자신들의 상품만을 올리므로 일반 소비자들은 번거롭게 그 많은 사이트를 모두 찾아다니면서 가격과 조건을 비교해야 하기 때문이다. 그러기에 최적의 상품을 저렴한 가격으로 구입하기가 어렵다. 이를 제삼자가 비교하고 설계해줌으로써 고객은 최적의 여행상품을 구입할 수 있다는 것이다.

⚜ 인터넷 인쇄소

인터넷 인쇄소도 서비스 아이템으로 분류된다. 인터넷을 통해 필요한 인쇄물을 마음대로 편집해서 출력할 수 있을 거라는 생각을 한 사람은 로열 파로스Royal P. Farros라는 사람이었다. 명함이나 레터지, 라벨, 카탈로그, 각종 서식, 티셔츠나 머그잔 등에 부착할 그림 등 일상생활에 필요한 자잘한 인쇄물들을 고객이 인터넷상에서 직접 디자인하고, 이를 출력하여 배달해주는 서비스다. 우선 아이프린트iprint.com에 접속하면 고화질의 EPS 이미지, 문양, 글꼴이 함께 뜬다. 자신이 원하는 그림과 글자, 문양을 지시에 따라 선택하기만 하면 훌륭한 인쇄물이 된다. 무제한 편집도 가능하다. 글자나 그림을 키우거나 줄일 수 있고 모양을 마음대로 바꿀 수도 있다. 여기에 오케이 사인을 하고 배송받을 주소를 입력하면 곧 인쇄물이 집이나 직장으로 배달되는 시스템이다.

여기서 추구하는 것은 나만의 개성이 담긴 인쇄물이다. 명함만 해도 대부분이 비슷한 규격과 형식을 갖추지만 여기서 발주하는 인쇄물은 오직 나만의 인쇄물이다. 이러한 강한 개성이 디지털 바람과 맞아떨어지면서 큰 성공을 거두어들일 수 있었다. 1996년 12월 어느 날 문을 처음 열었을 때의 주문은 단 9건, 이것이 매달 25%씩 성장을 거듭하고 있다고 한다. 연간으로 따지면 매년 10배가 넘는 성장이다. 아이프린트의 창시자 로열 파로스는 벤처의 요람인 명문 스탠포드 출신으로 이 대학에서 석사를 받아 처음부터 싹이 보였던 인물이었다. 이 사업 성공으로 이 대학의 초빙 강사로도 일하고 있다.

아기를 위한 홈페이지

무료로 아기들의 인터넷 홈페이지를 만들어주는 사이트들이 있다. 주인공은 아기지만 대상은 아기의 부모들이다. 언제든지 회원 아이디로 접속하여 사진이나 자료를 업데이트할 수 있다. 백일사진, 돌 사진은 물론이고 엄마 뱃속에 있을 때의 초음파 사진도 올린다. 가족앨범, 일기, 방명록 등을 올려 아이가 자랄 때까지의 전 과정을 한눈에 볼 수 있는 곳이다. 육아일기처럼 자라는 동안에 있었던 기뻤던 일, 슬펐던 일도 나중에 아이가 자라서 볼 수 있도록 기록으로 남긴다. 아이가 자라나, 이 일을 이어받을 때까지 엄마가 관리해준다. 아이가 자랐을 때는 일종의 살아있는 자서전이 되는 셈이다.

아기를 키우면서 겪는 엄마의 걱정거리도 서로 나누고 상담도 한다. 아이의 교육을 위해 유익한 동영상 사이트도 제공되고 있다. 수입원은 육아용품 판매와 광고다.

⚜ 재택 검진 사업

최근 일본에서는 재택 검진 아이템이 각광을 받고 있다. 많은 사람들이 건강에 관심을 가지고는 있지만 막상 병원 문을 두드리는 일이 쉽지 않은 것이다. 업무에 바쁜 직장인은 물론, 거동이 불편한 노인, 장애인, 자녀 양육에 시간이 없는 주부 등을 대상으로 하는 재택 검진 사업이다.

검진 과정을 살펴보면, 먼저 인터넷을 통해 검진 항목을 선택하고서 업무제휴중인 편의점에 주문서와 요금을 지불한다. 그러면 자세한 사용설명서와 함께 검진 세트가 배달된다. 혈압 측정이 필요하면 혈압기를 보내주는 방식이다. 그러면 여기에 혈액이나 대소변 등 검진에 필요한 수거물을 동봉하여 다시 편의점에 갖다 주면 된다. 최종 의견서는 집으로 배달된다. 이때 의견서만 오는 게 아니라 전문의의 정밀 검진과 치료가 필요하다고 판단되면 전문의 소개서도 동봉해준다.

이 사업의 연결고리는 편의점이다. 도시 전역에 분포되어 있는 편의점망은 일종의 수평 네트워크인데, 이를 이용하면 의외로 많은 아이템을 구상하거나 부가가치를 높일 수 있을 것이다. 예를 들면 요즘의 택배 회사들은 물건을 받을 사람의 집 가까이에 있는 편의점을 묻는 경우가 많다. 배달 물건을 싣고 집으로 찾아갔다가 사람이 없는 경우는 허사가 되기 때문이다. 편의점과 제휴를 맺었을 경우, 이러이러한 사람이 오면 물건을 내주라고 맡기고 오면 된다. 편의점에서는 신분증을 확인하고 물건을 내준다. 요즘 전자상거래를 하는 업체들의 경우 지하철을 연결고리로 사용하는 사례가 늘어나고 있는데, 고객이 집이나 사무실과 가까운 지하철역을 지정해주면 물건이 그리로 배달된다. 돈과 시간이 절약된다. 지방의 경우 여러 전자상거래업체들과 제휴하여 물류기지 역할을 하는 것도 한 방법이다. 예를 들어 '전라도 광주'라면 이곳으로 배달되는 여러 전자상거래업체들의 물건을 집하시켜 배달을 대행하는 것이다.

정보제공형 콘텐츠

정보제공 사이트는 엄밀한 의미로는 콘텐츠 사업이라고 해야 하지만, 요즘은 전자상거래와 콘텐츠 사이의 구분이 애매해지고 있는 추세다. 정보를 올리면서 관련 상품의 판매를 겸하는 곳이 많기 때문이다. 어디에 비중이 있느냐로 구분할 수 있겠으나, 굳이 구분을 하지 않아도 무방하다.

올리는 정보의 종류는 과학, 법률, 건강, 다이어트 같은 전문 분야가 있는가 하면 특정 도시에서 일어나는 행사, 이벤트, 관광정보 같은 정보적 성격이 강한 분야, 애완동물 사이트처럼 동호회 성격의 흥미 분야 등으로 나눌 수 있다. 구성애의 성교육 사이트 '아우성'처럼 구분이 애매한 곳도 많다. 미국에는 전문적으로는 원자탄 만들기에서부터 A학점 비결, (위자료 안 주고 합법적으로) 아내 버리기 사이트도 있다. 사람들이 관심을 많이 가질 만한 주제는 무엇이든 가능하다는 것이다. 요즘 우리나라 대학가에서는 기출문제 사이트가 인기라고 한다. 어느 교수가 어떤 문제를 잘 내느냐를 알려주는 사이트인 것이다.

콘텐츠 사이트의 수익 모델은 컨설팅 수입과 유료 회원제, 관련상품 판매 수입, 그리고 광고 수입이 있을 수 있다. 건강이나 다이어트 같은 전문 분야라면 유료 컨설팅을 해줄 수도 있고, 상담은 무료인 대신에 관련 다이어트 식품 등의 판매를 겸할 수 있다. 인터넷 사주, 운세 사이트 중에는 유료 회원제에다 별도의 운세 감정료까지 받고 있는 곳도 있어 일거양득인 셈이다.

애완동물 사이트라면 애완견이나 고양이, 금붕어 등의 관리에 관한 정보를 올리면서 이들을 분양하거나 사고팔고, 이들의 먹이, 장난감, 소모품을 사고팔기도 한다. 뜨개질 사이트라면 뜨개질을 취미로 하는 사람들을 대상으로 정보를 제공하고 동영상 뜨개질 강의도 한다. 콘텐츠가 좋을 경우에는 유료도 가능하다. 유료가 아니더라도 아기 스웨터 뜨는 방법을 강의하면서 스웨터를 뜨는 데 필요한 재료를 판매하는 등의 방식이다. 뜨개질에 필요한 재료를 구하기 위해 시내를 돌아다니는 것보다는 단체로 구입하는 것이 시간과 돈을 절약하는 것이기 때문이다. 이런 경우가 전자상거래인지 정보 사이트인지 구분이 애매하다.

정보형 콘텐츠 중에는 스포츠 소식만을 전문으로 올리는 것이 있는가 하면 기업이나 단체 등에서 실시하는 경품, 현상공모 소식, 상품, 서비스별 가격 비교 사이트도 있다. 보험상품을 예로 보면 보험회사가 여러 곳 있지만 회사별로 요금이 차이가 난다. 같은 자동차 보험이라도 차이가 난다. 이들 보험의 조건과 가격을 비교해주는 것이다. 중고 자동차 가격, 항공 티켓 등도 가격 비교의 대상이다. 이런 것은 정보형 사이트다.

콘텐츠 사이트는 수익이 발생하기까지 많은 시간이 걸린다. 따라서 돈을 번다는 목적이 앞서 이런 사이트를 운영하는 것은 무리로 보인다. 자신이 가진 전문 분야의 지식이나 정보를 나누어 가진다는 마음으로 접근하여 충실하게 내용을 구성하다 보면 수익으로 연결될 수 있다고 보는 것이 좀더 합리적일 것이다.

2. BtoB 모델

BtoB 모델이란 'Business to Business'의 약자로, 기업의 주체, 즉 기업들간의 거래를 말한다. 기업에서 수행하고 있는 원자재 조달이나 판매 등의 업무를 온라인으로 옮긴 경우다. 이럴 경우 기업들은 원가를 크게 줄일 수 있다. 1996년부터 이 시스템을 도입한 GE는 인건비는 30%, 구입단가는 20%나 줄일 수 있었다고 하며, IBM도 이의 도입으로 재고를 40% 줄였으며 매출은 30% 높아졌다고 한다. 기업간의 거래는 밖으로 잘 드러나지 않기 때문에 정확한 규모를 밝히기 어렵지만 미국의 경우 수조 달러에 이르는 것으로 알려지고 있다. BtoC 모델에서 일어나는 5000억 달러 정도와 비교하면 훨씬 큰 규모의 시장이다. 우리나라의 경우는 BtoB의 비중이 대략 3분의 2인 것으로 알려지고 있다.

문제는 BtoB 모델은 기업들간의 거래일 뿐, 창업을 꿈꾸는 제삼자와는 아무런 관계가 없지 않을까 하는 것이다. 기업들간의 거래가 당사자인 두 기업간의 제휴관계로 한정된다면 제삼자가 끼여들 여지는 거의 없다. 그러나 거래 내용이 복잡한 경우라면 이야기는 달라진다. 두 당사자간에도 제삼자가 끼여들 공간이 있게 마련이고 다자간의 거래라면 오히려 제삼자의 중개가 있어야 거래가 원활하게 된다. 그것이 훨씬 효율적이기 때문이다. 여기서 창업 공간이 생겨난다.

아주 쉬운 예를 들어보자. 남녀가 만나 결혼을 하는 것은 당사자로서는 생애에 가장 중요한 일이며, 두 당사자간의 만남에 제삼자가 끼여들 소지가 없어 보인다. 남녀를 하나로 보면 끼여들 여지가 없지만 결혼 적령기를 앞둔 복수의 남녀를 집단으로 생각해본다면 직접 거래가 여의치 않은 당사자들은 양측의 정보를 가진 누군가의 중재를 필요로 하게 된다. 이처럼 기업과 기업간의 거래를 중개하는 e-비즈니스가 협의의 BtoB 모델이다. 이것도 엄밀하게 구분하면 제휴 모델과 중개 모델 그리고 수평 네트워크로 구분된다.

제휴 모델

인터넷의 등장은 수평이라는 개념을 새롭게 탄생시켰다. 수직적인 구조인 아날로그 사회에서 동종기업은 서로 경쟁 관계였다. 상대방의 이익은 나에게 손실이고, 상대방을 돕는 것은 나에게 곧바로 해가 되는 것이라는 사고방식이었다. 너도 좋고 나도 좋은 관계가 있을 수 있다는 것을 알고는 있었지만 실천을 하지 못했던 것이다. 예를 들면 우리나라의 화장품 회사들은 거의 모든 원료를 해외에서 조달해야 하는데, 이들이 공통으로 필요로 하는 원재료를 공동으로 구입한다면 훨씬 유리한 조건에 구입할 수 있지만 잘 이루어지지 않았다. 나도 손해를 볼 테니 너도 손해를 보라는 식이었다. 그러나 수평적 사고가 확산되면서 진정한 상생게임win-win game은 수평적인 관계에서 나온다는 것을 깨달은 것이다. 동일업종에 종사하는 두 기업이 서로 도울 때 모두에게 이익이 된다는 것을 가상적인 사례로 보기로 하자.

자동차가 귀한 시절, 서울에서 자동차를 빌려주는 렌터카 사업을 하는 사람이 있었다고 하자. 다양한 고객들이 이를 이용할 것이다. 영업사원들은 월말이면 거래처를 일순하기 위해 차가 필요할 것이고, 일반인들이라면 시골에서 오신 부모님을 모시거나 오랜만에 가족 나들이를 위해 자동차가 필요할지 모른다. 또 어떤 고객은 서울과 부산을 오가며 사업을 할 수도 있을 것이다. 그는 한 달에 두세 번 정도는 차를 빌려서 서울, 부산을 오간다. 서울에서 생산한 물건을 부산 거래처에 내려주고 물품대금을 받아서 당일로 올라온다. 이것이 화물로 물건을 배송하고 대중교통을 이용해서 부산을 다녀오는 것보다는 훨씬 이익이다.

그런데 부산에서 며칠 묵어 올 사람의 경우라면 렌터카 이용을 할 수 없다는 문제가 발생한다. 2박 3일이라면 3일치의 비싼 요금을 내야 하기 때문이다. 그러나 이렇게 가정해보자. 서울에서 렌터카 사업을 하는 A씨와 부산에서 렌터카 사업을 하는 B씨가 제휴를 한다. 그 고객은 서울에서 차를 빌려 부산으로 내려가 물건을 내린 다음 B의 사업장에 차를 입고시키고 일정 요금을 B에게 지불한다. 아마도 하루 요금의 2분의 1이면 될 것이다. 그러고는 하루나 이틀 충분히 일을 본 다음에 다시 B의 사업장으로 가서 차를 빌려 서울로 올라온다. 이때 자신이 몰고 갔던 차량이 B의 사업장에 있으면 그걸 몰고 오면 그만이고 아니라면 다른 차를 빌려 서울로 돌아와 A의 사업장에 입고시킨다. 그러고는 역시 일정 요금을 A에게 지불한다. 그것이 A의 차든 B의 차든 아무 상관이 없다. 풀pool제로 사용하기 때문이다. 이렇게 되면 고객은 부산에서 며칠을 머무르든 요금과는 아무런 상관 없이 자유롭게 이용할 수 있게 된다. A와 B는 월말에 정산을 하면 그만이다. 이렇게 되면 A, B와 렌터카를 이용하는 고객 모두가 이익을 얻게 될 것이다. 이것이 제휴에 의한 쌍방 네트워킹이며, 이런 비즈니스를 제삼자가 중개한다면 이것이 바로 BtoB 비즈니스 모델이 된다. 우리는 동일한 업종 종사자들을 대부분 경쟁 관계로 보나 사실은 그렇지 않다는 것이다.

수평 네트워크

이번에는 당사자 수를 늘려서 복수의 당사자들을 네트워크로 묶어 비즈니스가 태어나는 과정을 보자. 요즘 대부분의 꽃집들에 '전국 꽃배달'이라고 써놓은 것을 보았을 것이다. 그러나 실제로 전국적인 배달 네트워크를 가진 경우는 거의 없고 그저 인근 도시 정도에 배달해주는 경우가 대부분이다. 몇 만 원짜리 꽃 하나를 싣고 서울에서 대전이나 광주를 갈 수는 없는 노릇이기 때문이다. 이것을 가능케 하는 것이 수평 네트워크다.

그러나 앞서의 가상적인 사례에서처럼 제휴관계를 상정해보자. 서울에 있는 꽃집 A와 부산에 있는 꽃집 B가 제휴를 맺는다. 그리고는 꽃 종류별로 표준화 작업을 한다. 예를 들어 여자친구 생일날에 선물하는 장미 5만 원짜리는 이런 모양에 이런 규격, 이 정도의 품질, 개업집에 갈 화환 10만 원짜리는 이런 종류에 이런 규격 하는 식으로 말이다. 가격과 품질을 통일하는 작업이다. 서울에서 부산으로 생일축하 화환을 보내는 경우를 보자. 서울의

A는 보내는 사람, 받는 사람의 인적사항을 기재한 다음 부산의
B에게 다음과 같이 메일을 넣는다.

수신 : 김 ○○

　　　 부산 해운대구 ○○동 ×× APT ○동 ○○호

발신 : 이 ○○

　　　 서울 여의도 L상사

품명 : 생일축하 화환 A타입

이렇게 메일 한 줄만 넣으면 그 화환은 30분 이내에 부산으로
배달될 수 있다. 그 반대도 마찬가지일 것이다. 이것이 앞서 렌터
카의 사례에서 본 제휴관계다. 그러나 관련 당사자가 많아지면
제휴관계가 여간 복잡해지지 않는다. 제삼자의 중개가 필요하게
된다. 이번에는 규모를 좀더 키워보자. 꽃배달 수요는 전국적으
로 있을 것이기 때문이다. 전국 10개 도시, 10개 꽃집이 이런 제
휴관계를 유지하려면 모두 90가지의 커뮤니케이션이 일어나야
한다(10P2=10×9=90). 서울-부산, 서울-대구, 부산-서울, 부산-
대구 ⋯ 하는 식으로 말이다.

이런 중개 개념의 비즈 모델을 염두에 둔 제삼자가 인위적으로
전국 10대 도시, 10개 꽃집을 네트워크로 연결했다고 가정하자.
그러고는 전국 어디로든 꽃배달을 한다며 광고, 홍보를 한다. 물

론 자신은 꽃집을 하는 사람이 아닌 제삼자이다. 주문이 들어오면 수신자의 거주지에서 가장 가까운 꽃집으로 주문을 넘겨주면 된다. 그러고는 자신이 중개해준 주문 금액의 일정액을 수수료로 받는다. 이 네트워크를 통해서 거래된 금액이 월 1억 원이라면 10%의 수수료를 받을 경우는 1000만 원, 5%의 수수료를 받더라도 500만 원의 월수익이 발생한다.

이렇게 되면 이 네트워크에 가입한 비즈니스 주체들, 즉 꽃집들은 자신들의 현재 오프라인에서의 꽃집 영업은 그대로 하면서 이 네트워크를 통해 추가적인 수익을 올릴 수 있다. 예를 들면 목포의 꽃집 M은 서울이나 부산으로의 꽃배달을 할 수 없는 처지에 있지만 이 네트워크에 가입하게 되면 서울, 부산 등 전국적으로 오가는 주문 모두를 소화할 수 있다는 것이다. 이는 분명 추가적인 수입원이 된다. 그리고 이 추가적인 수익에 대해 일부를 수수료로 지불하는 것은 그리 아까운 돈이 아니라는 것이다. 이는 꽃집이나 이용자나 네트워크 구축자 모두에게 이익이 되는 윈윈게임이며 BtoB 거래에서 제삼자가 개입할 수 있는 비즈 모델이다.

설명이 어렵지만 요즘의 증권회사를 생각하면 된다. 증권회사인 제삼자는 다수의 공급자와 다수의 수요자를 중개해주는 시스템인 것이다. 앞서의 사례 렌터카 모델도 다자간의 제휴가 되면 제삼자의 참여가 가능한 네트워크가 된다.

여기서 수평 네트워크라는 단어에 유의해주기 바란다. 자칫 다단계 판매 등에서 사용되는 수직 네트워크와의 혼돈을 피하기 위해서다. 이는 전혀 다른 별개의 개념이다. 수평 네트워크는 동일한 기능을 수평으로 엮은 것이기에 수직으로 연결된 다단계 판매 등과는 엄밀하게 구분하여야 한다. 수평 네트워크가 시너지 synergy 효과를 창출하는 모델이라면 다단계 판매 모델은 새로운 시너지를 창출한다기보다는 분배의 문제에 가깝다. 또 수평 네트워크의 구성 요소들이 모두 평등관계인 데 반해 다단계 판매 등은 평등관계가 아닌 종속관계라는 점도 큰 차이점이다. 여기서 무한의 시너지가 발생한다는 것이다.

중개 모델

일반인들은 많은 정보를 가지고 있지 않기 때문에 특정 분야에 대해 가공된 정보를 필요로 하게 된다. 이를 해결해주는 사람들이 오프라인으로 말하자면 중매쟁이나 부동산 같은 정보 중개업자들이다. 인터넷은 생산자와 소비자간의 직거래가 가능하기 때문에 중개자를 배제할 수 있는 최적의 비즈 모델이지만 역설적이게도 인터넷의 활성화는 중개자의 참여를 더욱 필요로 하게 만들고 있다. 물리적 상품의 중개상은 줄이는 대신 정보 중개상의 필요성을 더욱 가중시키는 결과를 낳고 있는 것이다.

인터넷상에서는 더욱 가공된 정보가 필요하다. 인터넷상에서 장난감을 구입한다고 하자. 장난감이라는 검색어를 치면 많은 장난감업체들이 올린 정보로 넘쳐난다. 정보가 너무 많기 때문에 소비자들은 오히려 정보의 바다에 빠지게 되어 옥석을 가려내지 못한다. 여기에 상품의 품질과 가격을 비교해주는 정보 중개상의 존재가 필요하게 된다. 에누리닷컴enuri.com이라면 쇼핑몰별로 가전제품, 영상기기, 통신기기, 화장품 등의 가격을 비교하여 소비자들의 선택을 용이하도록 도와주고 있는 것이며, 도서나 심지어는 애완견의 가격까지도 비교해주는 사이트가 생겨나고 있다. 이것이 단순 중개 모델이다.

이는 정보에 국한되지 않는다. 물리적인 상품이나 서비스 상품은 물론 비즈니스 자체도 중개의 대상이 된다. 인터넷상에서 최적의 상품이나 서비스를 가장 저렴한 가격에 구입할 수 있도록 연결해주는 순경매, 역경매 사이트 같은 경우도 중개에 해당된다. 어떤 의미에서 경매 등은 인터넷 활성화로 도약의 계기를 맞은 아이템으로 보여진다. 미국의 경우 온세일onsale.com, 이베이 ebay.com, 유비드ubid.com, 프라이스라인priceline.com 등이 무서운 기세로 성장하고 있으며, 우리나라의 옥션auction.co.kr 등도 중개 비즈니스 모델이다. 전자상거래가 늘어나는 만큼 이를 중개해줄 사람이 다시 필요하게 된다는 의미다.

NTE

  인터넷 비즈니스 중에서도 가장 난해한 BtoB 비즈 모델 하나를 보자. NTE는 'National Transportation Exchange'의 약자다. 즉 미국에 있는 화물운송자협의회 정도가 아닌가 생각된다. 이것이 BtoB 비즈니스의 대표적인 사례다. 미국은 땅이 넓기 때문에 제조업체들의 물류비 부담이 보통이 아니다. 물류비 부담도 문제지만 가장 큰 문제는 화물을 싣고 목적지에 하역한 다음 빈 차로 돌아오는 것으로, 보이지 않는 엄청난 국가적인 낭비다. 돌아오는 길에 싣고 올 화물이 있다면 물류 비용은 거의 절반 수준으로 줄일 수 있다는 단순 계산이 가능할 것이다. 이를 해결한 모델이 NTE다.

  우선 국가차원의 NTE를 설립한다. 여기에 화물차 회사들을 회원사로 가입시킨다. 짐을 내리고 빈 차로 올 때 실을 짐을 알선해주기 위한 것이다. 대신 회원으로 가입한 화물회사들은 자신들이 보유한 화물차의 자세한 운행 내역을 실시간으로 NTE에 통보한다.

차량 번호○○○○번,

화물용량 총 10톤,

서울-부산 ○○시 출발,

부산-서울 대기 예정시간 ××시

NTE에서는 지역별, 시간대별, 화물 용량별로 정보를 정리하는 한편, 화물주로부터 배송 의뢰를 받는다. 부산의 어느 화물주로부터 부산-서울 간 화물 운송 의뢰가 왔다고 하자. NTE에서는 즉시 부산에 대기하고 있는 특정 화물차(회사)에 연락을 취하여 화물을 싣고 서울로 돌아올 수 있도록 조치를 취하는 것이다. 화물차 회사로서는 빈 차로 돌아오는 일이 없어 좋고, 화물주들은 저렴한 가격으로 이용할 수 있어 좋은 것이다. 이것이 전형적인 BtoB 비즈 모델이며 앞으로 가장 성장성이 높은 분야기도 하다.

BtoB 모델을 연구하기 위해서는 동일한 비즈니스 주체들을 집합적으로 살피는 훈련이 필요하다. 쉽게 말하자면 이 업계에는 어떤 문제점이 있는가 하는 접근방식이다. 앞서의 꽃집들이라면 개별적으로는 전국 배달이라는 시스템을 구축할 수가 없다는 문제점을 안고 있고, 화물운송업체라면 화물을 내린 다음에 빈 차로 돌아와야 한다는 문제점을 안고 있다. 이에 제삼자가 끼여들면 의외로 간단한 해결책이 나올 수 있다는 것이다. 그리고 이러한 네트워크를 구축할 때는 수직이나 상하관계가 아닌 온전히 동등한 수평적인 관계여야 한다. 앞서의 렌터카 사례를 보면 네트워크에 가입한 사업자들은 규모의 차이는 있을지라도 모두가 온전히 수평적인 관계를 유지하고 동일한 권리, 의무 관계에 있음을 알 수 있다.

NTE는 이를 다시 온라인화한 것이다. 여기에 가입한 화물차

업체들은 자신들이 보유하고 있는 화물차의 행선지와 화물을 실을 수 있는 용량, 화물을 내린 다음의 행선지, 대기 가능한 시간 등의 정보를 NTE로 보낸다. 화물주들은 화물의 행선지와 물량 등 역시 필요한 정보를 NTE로 보낸다. NTE에서는 이를 조합하여 가장 저렴한 비용으로 낭비없는 화물운송시스템을 구축할 수 있는 것이다. NTE의 사례는 수평 네트워크 중에서도 가장 난해한 다자간 쌍방 네트워크인 셈이다. 즉 화물차라는 동일 요소를 하나로 묶고, 또 화물주라는 동일 요소를 하나로 묶어 이 둘을 중개하는 비즈니스 모델이다. 인터넷을 통하면 이런 비즈니스의 가능성이 많이 열려 있다.

⚜ 우체국 네트워크

전국적으로 지역마다 특산물을 판매하고 있다. 강원도 평창군 황태, 고랭지 김치, 안면도 어리굴젓, 강화 화문석, 인삼, 문경 상황버섯, 상주 곶감, 하동 매실, 제주 감귤, 옥돔, 남원 토종꿀 등이 그것이다. 이 상품들은 현지에서 오프라인 판매를 할 뿐만 아니라 대부분이 홈페이지를 가지고 있어 온라인으로도 주문을 받는다. 자치단체 단위로 홈페이지를 만드는 경우도 있지만 오프라인 가게를 가진 개인이 홈페이지를 만들어 판매하기도 한다. 은행 온라인으로 대금을 지불하면 상품을 배달해주는 방식이다. 이러한 방식도 온라인 비즈가 아닌 것은 아니지만, 이를 네트워크로 연결하면 좀더 멋진 비즈니스가 된다.

우체국에 가면 전국의 특산물을 모두 구입할 수 있다. 자신이 직접 구입하는 것은 물론 지방이나 해외에 있는 친지에게 선물할 수도 있다. 서울에서 영광 굴비를 강원도에 있는 친지에게 선물하고 싶을 때 품목과 발신자, 수신자만 기록하면 영광 굴비가 가장 빠른 지름길을 따라 강원도로 배송된다. 이는 전국적인 네트워크를 갖춘 우체국이 있기 때문에 가능한 것이다. 우체국에서는 지역 특산물 판매점과 제휴관계만 맺어두면 된다. 우리나라는 우체국이 국영이지만 미국처럼 사기업인 경우에는 제삼자에 의한 우체국 네트워크 형성이 가능하다는 것이다.

⚜ 지하철역을 물류거점으로

물리적 상품의 경우, 전자상거래에서 가장 큰 문제는 배송이다. 세계 최대의 사이버 서점 아마존이 적자를 면치 못하는 것도 바로 물류비용 때문이다. 이를 줄이기 위해 물류기지를 이용하는 경우가 많다. 서울이라면 몇 백 개에 이르는 지하철역이 물류기지로 안성맞춤이다. 서울 전역에 고르게 분포되어 있기 때문이다.

지하철 물류기지 사업의 흐름도를 보자. 먼저 지하철공사 측과 지하철역 한 켠에 조그만 부스를 설치하여 물류기지로 이용하겠다는 내용의 계약을 맺는다. 다음에는 물동량이 많은 여러 전자상거래업체들과 계약을 맺는다. 인터넷상으로 거래되는 상품을 주문자와 가장 가까운 거점역까지만 배송해주면 구매자에게 전달해준다는 내용이다. 물론 구매자는 상품 구입시 상품을 찾아가기에 가장 편리한 지하철역을 지정해야 한다. 각 기지에서는 주문자의 신분을 확인하고서 상품을 건네주면 된다. 지하철역을 네트워크로 하는 훌륭한 비즈니스가 생겨나는 것이다. 지하철공사 측으로서는 플러스 알파의 수익이 생겨서 좋고, 전자상거래업체로서는 가정이나 사무실까지 배송해야 하는 시간과 돈의 낭비를 막아서 좋은 것이다.

밑줄긋기

동일한 것을 모으면 수평 네트워크가 된다. 머리도 식힐 겸 비유적인 사례를 들어보자. 동일한 요소들을 묶으면 수평 네트워크가 되고 대부분 엄청난 시너지 효과를 발휘할 수 있다. 어느 정도 시너지 효과가 발생할 수 있는지 쉬운 사례를 하나 보자. 벼농사를 지으려면 몇 번에 걸쳐 비료와 농약을 살포해야 한다. 그 시기도 엇비슷하다. 그렇지 않아도 일손이 부족한 농가에서 이는 여간 번잡스러운 일이 아니다. 이렇게 가정해보자. 각기 비료와 농약을 뿌려야 하는 고민을 안고 있는 농민들을 하나로 엮어 들판 전체를 경비행기로 날면서 비료와 농약을 살포하는 것이다. 실제로 농업 선진국에서는 이렇게 하고 있다. 이렇게 되면 많은 농민들이 독한 농약 마시면서 며칠씩 해야 할 일을 반나절이면 할 수 있다. 비용도 여러 사람이 나누면 훨씬 저렴하다고 한다. 시간이 절약되는 것은 보이지 않는 또 다른 시너지 효과인 셈이다.

별장 전문 인터넷 부동산

별장을 전문으로 취급하는 인터넷 부동산을 만들어보자. 그러면 전국에 있는 유명 별장의 정보를 어떻게 다 수집하고 관리하느냐 하는 문제가 생긴다. 그러기 위해서는 엄청난 시간과 인력이 필요할 것이다. 그러나 수평 네트워크적인 방법으로 접근하면 아주 간단하다. 정보를 하나도 갖지 않아도 된다. 가상 공간에 부동산을 만들어놓고 전국의 유명 부동산을 연결하는 것이다. 모든 정보를 다 연결하는 게 아니라, 별장관련 정보만을 공유하는 것이다. 그러면 전국에 있는 오프라인 부동산들이 쉽게 정보를 주겠는가? 그렇다! 모든 정보를 달라면 절대 주지 않지만 거래가 별로 없는 별장 정보만 공유하고, 고객이 오면 해당 부동산에 거래를 넘겨주는 것이다. 다만 약간의 수수료만 받는다. 이러한 제의에 응하지 않을 사람이 어디 있겠는가.

다른 한편으로는 이 사이트를 대대적으로 홍보한다. 좀더 유명해지면, 전국의 유명 별장은 이곳을 통하지 않고는 거래가 되지 않을 수도 있고, 반대로 여기에 올라야만 유명 별장으로 태어나게도 된다. 그렇게 되면 이 인터넷 별장 사이트는 전국 제일의 별장 정보 사이트가 된다. 그 다음으로는 물주를 끌어들여 별장을 지어가면서 온-오프라인 동시적인 별장 사업을 하면 된다. 내가 덩치 큰 사업을 할 능력은 안 되지만 남들이 하고 있는 기존 아이템을 연결하면 이처럼 훌륭한 아이템으로 태어날 수 있다. 이것이 수평 네트워크다.

디지털 상품의 BtoB 거래

BtoB는 비즈니스 물리적인 상품이든 디지털적인 상품이든 이들 주체들간의 거래를 중개한다는 개념이다. 그렇다고 꼭 비즈니스 주체여야만 하는 것은 아니다. 정부기관들도 그 주체들 중의 하나가 될 수 있다. 기업이나 연구기관 등에서 필요로 하는 정보를 디지털 자료로 가공하여 이를 필요로 하는 기업이나 연구소 등에 중개해주는 것은 디지털 BtoB 모델이 된다.

디지털 상품의 중개는 참여할 수 있는 공간이 많이 비어 있다는 점이 큰 장점이다. 그러나 앞서 지적했듯이 초기 자본과 시간이 많이 든다는 단점이 있다. 그러나 일단 궤도에 오르면 추가 자본이 거의 들지 않는 것은 큰 장점이 된다. 그래서 이런 타입의 비즈니스를 운영하는 사람들은 처음부터 특정 디지털 상품이나 정보를 팔려고 시도했던 사람들보다는 아날로그적인 수단을 이용하던 사람들이 온라인 형태로 참여하는 경우가 많다.

렉시스-넥시스lexis-nexis.com는 온라인을 시작하기 훨씬 전부터 도서나 CD, 전화, 팩스 등 아날로그적인 수단을 통해 정부관련 각종 정보와 자료를 가공하여 비즈니스를 영위하던 사람들이다. 그러다 인터넷이 보편화되자 이를 온라인으로 옮겨 갔다. 정부, 입법, 법률, 기업관련 자료 등을 다양한 조건별로 검색하여 다운받을 수 있도록 한 BtoB 비즈니스의 사례라 하겠다.

정보 신디케이트 사업

요즘 미국에서는 정보를 가공 중개해주는 정보 신디케이터syndicator 산업이 붐을 일으키고 있다. 국내외 오프라인상에 존재하는 정보들을 주제별로 가공하여 원하는 사람들에게 제공하는 사업이다. 이를 콘텐츠 신디케이터라고 부른다. 기존의 포털업체나 대형 온라인업체들이 자체 인력으로 관련 정보를 모으고 가공하기에는 시간과 인력이 모자란다. 그러나 콘텐츠를 가공하는 회사로부터 정보를 제공받으면 저렴한 가격으로 자신들이 원하는 분야의 정보만 골라서 제공받을 수 있다. 여기서 이 사업이 자리할 공간이 생긴다.

예를 들면 인터넷에서 골프 전문 사이트 프린지골프Fringegolf.com라면 골프관련 뉴스를 자체 가공하기 위해서는 국내외 모든 스포츠 신문과 위성 안테나와 와이어를 갖춰야 하고 많은 인력을 동원해야 하지만 정보제공 회사에 가입하면 월 500달러로 이런 정보를 모두 입수할 수 있다. 한편, 정보를 가공, 제공하는 회사로서는 전 분야의 정보를 가공하기 위해 많은 인력이 필요하지만 이를 여러 회원사로 나누면 건당 생산비는 훨씬 낮아진다. 아이신디케이트iSyndicate, 스크리밍미디어ScreamingMedia, 옐로브릭스Yellowbrix, 뉴스에지NewsEdge 같은 회사들이 이 사업에 뛰어들고 있다. 전형적인 정보 중개업이다. 미국의 시장 규모는 15억 달러 선으로 추정하고 있다. 우리나라의 경우에는 '현상공모' 정보 등 한정된 분야의 정보를 일반인들에게 제공하는 곳이 여럿 있으며 와이즈인포넷wiseinfonet.com 등이 본격적인 해외 비즈니스 정보 제공자로 뛰어들고 있다.

3. CtoB 모델

CtoB 모델은 인터넷이 아니었더라면 존재할 수 없는 비즈니스 모델이다. 이전의 비즈니스 모델에서는 공급자 측에서 가격과 조건을 제시하고 소비자는 이에 응하거나 거절하거나 두 가지 중에서 선택하는 방식이었지만 CtoB 모델에서는 가격과 조건을 소비자가 정한다. 공급자가 소비자들이 요구하는 조건에 응하거나 거절하거나 두 가지 중에서 선택하게 하는 것이다. 일반적인 거래와는 정반대다. 가격과 조건을 정하여 공급자로 하여금 수용 여부를 선택하게 하는 방법이 있는가 하면, 구입할 다수의 수량을 확보한 다음 복수의 공급자로 하여금 경쟁적으로 유리한 조건을 제시하도록 하는 방법도 있다.

사이클 동호회가 있다고 하자. 이들은 전국일주 사이클대회를 개최하려고 한다. 회원들 중에는 사이클을 교체하거나 새로 구입해야 할 사람들이 있을 것이다. 이들이 개별적으로 사이클 판매

회사에서 구입하는 것보다는 구입할 수량을 가지고 여러 공급자와 협상을 한다면 훨씬 더 유리한 조건과 가격에 구입할 수 있다는 것이다. 일종의 공동구매다. 이처럼 소비자가 주도적인 역할을 한다고 해서 역경매라고 이름지어진 모델이다. 역경매 모델은 비즈니스 특허까지 받은 모델이다. 우리나라에 있는 공동구매 사이트들은 대부분 가격이 지정된 상태다. 이는 순수한 CtoB 모델로 보기에는 조금 부족해 보인다.

⚜ 어컴퍼니

미국의 어컴퍼니acompany.com는 이런 CtoB 거래를 중재하는 회사다. 상품 모델을 제시하면서 구입 희망자를 모집한다. 구입 희망자가 많을수록 가격은 내려간다. 100만 원짜리 에어컨이라면 3명이 구입하면 95만 원, 5명이 구입하면 90만 원으로 구입할 수 있게 된다. 일반적인 경매와 다른 점은, 일반 경매에서는 상품 공급자가 상품을 제시하여 가장 높은 가격을 제시하는 사람에게 낙찰되지만 여기서는 가장 낮은 가격을 제시하는 공급자에게 낙찰된다는 것이다. 또 일반 경매는 사람들의 참여가 많을수록 가격이 올라가지만 여기서는 공급자가 많을수록 가격이 내려가는 것이 특징이다. 이 역시 역경매 모델에 해당된다.

프라이스라인

　　최근에는 아예 소비자가 가격과 조건을 제시하도록 하는 비즈니스 모델도 등장하고 있다. 가장 많이 이용되고 있는 분야가 여행상품인데, 소비자가 가격을 지정하는 시스템이다. 항공 티켓이나 숙박비 등 여행에 필요한 서비스에 대해 소비자가 가격을 정하고서 이에 응하는 여행사의 서비스를 구입하는 것이다. 이를 이용하는 고객은 자신에게 유리한 조건의 서비스를 찾기 위해 인터넷을 뒤질 필요가 없다. 자신이 원하는 조건을 기재해놓고서 기다리기만 하면 되는 것이다.

　　프라이스라인priceline이 이런 여행 서비스를 제공하는 대표적인 곳이다. 항공사는 남아도는 비행기 좌석으로 늘 골치를 앓고 있다. 성수기를 제외하고는 대부분 좌석이 비어 있는 채로 출발해야 한다. 미국의 경우 항공기 공석률이 평균 30~35%에 이른다고 한다. 이런 항공사의 고민을 꿰뚫어본 것이 이 사업의 동기였다. 좌석이 빈 채로 출발하는 것보다는 훨씬 저렴한 가격으로라도 손님을 태우는 것이 이익일 거라는 가정에서다.

　　항공 티켓 예약 마감을 앞둔 항공사들은 남은 좌석을 체크한 후 자신들이 제시할 수 있는 최저 가격과 조건을 프라이스라인 측에 통보한다. 한편 소비자들은 자신들이 원하는 가격과 조건을 프라이스라인 측에 입력한다. 항공사가 제시하는 가격은 낮은 순으로, 소비자가 제시하는 가격은 높은 순으로 정렬된다. 소비자가 제시하는 가격과 항공사가 제시한 가격의 차액이 프라이스라인의 수입원이 된다. 1996년에 설립된 프라이스라인은 이의 성공을 바탕으로 자동차 판매, 주택 분양 등의 분야로까지 진출한다는 계획을 세워 놓고 있으며, 최근에는 휘발유도 취급한다는 소식이 들리고 있다.

소비자 구매 클럽

온라인 아이템은 아니지만 미국에는 소비자 구매 클럽이라는 게 있다. 일종의 CtoB 형태로 운영되기에 여기에 소개하고자 한다. 농산물이나 계절상품 등을 전문점으로 취급하는데, 회원제로 운영된다. 농산물의 경우에는 어느 나라나 원산지가 문제인 모양이다. 여주 쌀인 줄 알고 샀는데 강원도 쌀이었다든지, 김장용 고추나 마늘은 음성이나 의성이 제격인데 속아서 샀다든지 하는 일 말이다.

회원들의 주문을 받으면 생산 현장에 가서 가장 품질이 좋은 상품을 골라 배달해주는데, 가격은 현장에서 구입한 가격과 동일하다. 단 한 푼도 덧붙이지 않는다. 이것이 특징이다. 그러면 운영은 어떻게 하느냐? 운영은 오직 회원들의 회비로만 운영된다. 이런 방식으로라면 농산물의 경우, 최상품을 시중의 절반 또는 그 이하 가격으로도 구입할 수 있다고 한다.

우리나라의 경우를 보자. 농촌에서는 운임이 나오지 않아 배추 출하를 포기하는데도 도시에서는 한 포기에 몇 천 원씩에 거래된다. 이것을 위의 방식으로 사게 되면 한 포기당 500원이면 살 수 있다는 것이다. 그것도 원산지 확실한 최고의 상품을 말이다. 이런 소문이 퍼지면 회원 수가 급격히 불어나게 된다. 참고로, 회원제 아이템의 경우, 회원 수가 손익분기점을 넘어서는 순간부터는 모두가 남는 장사다. 따라서 회원 수가 성패의 관건인데, 회원을 확보하기 위해서는 신뢰가 절대적이다. 단 한 번이라도 원칙을 깨면 신뢰가 깨어지고 만다. 운영은 회비로만 하며 현장에서 구입한 가격 그대로 회원들에게 배달해준다는 원칙을 지켜야 한다. 이 아이템을 잘 응용하면 우리나라 농산물 시장의 유통 문제를 해결할 수도 있지 않을까. 관심 있는 분들의 깊은 연구를 바란다.

CtoB 모델로 공짜 배낭여행을 떠나보자

이제 CtoB 모델을 한번 직접 응용해보자. 사실 CtoB 모델은 동호회 수준에서 할 수 있는 재미있는 아이템이다. 여름방학이면 대학생들은 배낭 하나 메고서 동남아, 미주, 유럽을 여행한다. 유럽의 경우 15박 16일 기준으로 200만 원 안팎의 경비가 드는 것으로 알고 있다. 지금까지의 형태는 각 여행사들이 별다른 개성이 없어 보이는 엇비슷한 상품을 내놓고서 가격과 조건을 제시한다. 그러면 대학생들은 이에 응하거나 거부하거나 두 가지 중에서 하나를 택할 수 있었다. 그러나 이렇게 해보자. 각국의 민속을 연구하는 동호회가 있다고 하자. 이들 회원 100명이 방학을 이용하여 동남아, 중·근동, 아프리카 등지의 문화를 둘러보고 싶다. 그러나 이러한 상품은 여행사에서도 준비된 것이 없다. 그럴 경우, 여러 여행사에 자신들의 여행 스케줄을 제시하면서 가격을 제시하게 하여 그 중 가장 유리한 상품을 구입하는 것이다. 이것이 CtoB 모델이다.

4. CtoC 모델

CtoC 모델은 일종의 사이버 벼룩시장 같은 곳이다. 다양한 고객들이 모여 물건을 사고파는 곳이라고 생각하면 된다. 그러나 벼룩시장과는 컨셉이 조금 다르다. 벼룩시장이라면 사려는 사람, 팔려는 사람이 두 줄로, 아니 종류별로 늘어서 있는 경우일 것이다. 거래는 서로가 알아서 한다. 그저 장터만 제공되어 있는 격이다. 그러나 CtoC 모델에서 말하는 중개는 이들의 거래를 중개해준다는 점이 다르다.

　미국에서는 이베이ebay.com가 대표적인 곳인데, 소비자가 사용하던 물건 중 필요 없는 것을 내놓으면 경매를 통해 거래가 이루어진다. 여기서 거래되는 물건은 사용하던 컴퓨터에서부터 희귀 골동품까지 다양하다. 이베이가 이들의 거래를 중개해주는 것이다. 중개뿐 아니라, 물건을 만져보거나 확인할 수 없기 때문에 사는 사람과 파는 사람이 서로 믿을 수 있도록 신뢰관계를 구축해주는 것이 이베이의 임무다.

이처럼 다중의 사람들이 모이는 공간이라면 중매쟁이도 빠질 수 없다. 미국에서 운영중인 매치닷컴match.com은 남녀 서로가 원하는 짝을 찾아주는 곳으로 유명하다. 서로가 원하는 조건에 가장 적합한 남녀를 추천해주는 방식이다.

취업 사이트 또한 마찬가지다. 우리나라에서 운영되고 있는 취업 사이트는 대부분 이런 사람을 찾는다, 이런 일자리를 원한다 하는 나열식이지만 이것이 제대로 기능을 발휘하려면 서로가 요구하는 조건에 가장 근접한 사람과 일자리를 추천해주는 시스템이어야 할 것이다. 서로가 요구하는 조건별 검색이 가능해야 한다는 의미다. 이런 기능을 완벽하게 갖춘 사이트는 아직 없는 것 같다.

CtoC 모델의 이론적 근거는 이렇게 보면 된다. 불특정 다수의 사람들이 모일 경우, 이들을 다양한 기준으로 나눌 수 있다. 어떤 기준으로 나누느냐에 따라서 이들은 수요자와 공급자로 나뉘어진다. 그럴 경우 이들을 연결만 하면 비즈니스가 된다. 남녀로 나누면 중매쟁이가 될 것이고, 필요 없는 물건과 필요한 물건으로 나누면 교환 사이트가 될 것이다.

⚜ 매칭형 비즈니스 — 경매

인터넷에서는 경매 사이트가 호황을 누리고 있다. 경매란 상품의 가격이 사전에 정해진 게 아니고 상품을 팔려는 사람, 사려는 사람의 세력 균형에 의해 가격이 형성되는 매매방식이다. 미국의 대표 경매 사이트 이베이에는 매일 3만 5000건 이상의 경매물품이 오르고 있다. 공급자와 소비자를 매칭시켜주는 일종의 중개 비즈니스 형태다. 인터넷 비즈니스라고 해서 상품이나 서비스를 판매한다는 것에만 집착하지 않고, 다양한 형태의 모델을 깊이 연구할 필요가 있다.

공급자는 기업일 수도 있지만 개인일 수도 있다. 취급 아이템도 다양하기 그지없다. 오프라인에서 팔리는 상품도 있고, 홈런 기록을 갱신한 야구공이 나오는가 하면 복권도 나온다. 오프라인 상품이라면 아주 싸게 살 수 있다. 기업의 입장에서는 유통 비용이 들지 않기 때문에 훨씬 저렴한 가격에 팔 수 있다. 경매 사이트 역시 전문화 추세에 있다. 모든 상품을 다 취급하던 것에서 컴퓨터관련제품, 가전제품 하는 식으로 전문화의 길을 가고 있다.

우리나라에도 옥션auction.co.kr 등 쟁쟁한 경매업체들이 시장을 키워가고 있다. 컴퓨터, 가전, 전기전자제품, 휴대폰, 부동산이 나오는가 하면 부동산 중에서도 법원 경매상품만 취급하는 곳, 명품만을 취급하는 곳, 연예인 소품을 취급하는 곳 등이 있다. 항공 티켓도 경매시장에 나오고 있다. 앞서도 지적했지만 이런 유형의 아이템은 중개형 비즈니스이기 때문에 부담이 적다는 장점을 가진다. 매칭형 비즈니스에 좀더 많은 관심을 가져주기 바란다.

5. 인터넷 콘텐츠 사업

콘텐츠contents란 내용물을 의미한다. 특정 주제의 볼거리, 읽을거리를 올리면 그것이 곧 콘텐츠가 된다. 불규칙적으로 올리면 그냥 콘텐츠, 규칙적으로, 정기적으로 올리면 인터넷 잡지가 된다. 매일 올린다면 일간지가 될 것이다. 이를 웹매거진web magazine 또는 웹진이라도 부른다. 인터넷 콘텐츠 사업 중에서도 핵심이 웹진이다. 다루는 내용도 시사 문제를 포함하여 영화, 음악, 문화, 전문 분야 등 사람들의 관심사만큼이나 다양하다. 일반 잡지와 다른 점은, 일반 잡지가 활자와 사진 등으로 구성된 전달자의 일방적인 메시지인 데 반해 웹진은 활자와 사진은 물론 동영상에 음성까지 올릴 수 있고, 이메일이나 게시판 등을 통해 언제든 독자와의 커뮤니케이션이 가능하다는 것이다.

사회 풍자를 다룬 웹진 〈딴지일보ddanzi.com〉의 경우는 지난

1998년 몇몇 끼있는 젊은이들이 국내 일간지를 패러디하여 창간한 것인데 지금은 자산가치만 몇 백억을 호가한다. 〈딴지일보〉는 굳이 어려운 주제, 무거운 주제가 아니어도 많은 사람들이 재미있게 읽고 즐길 수 있는 이야기라면 사람들이 모여든다는 것을 보여준 사례다. 〈딴지일보〉의 강령을 보자.

본지는 한국농담을 능가하며 B급 오락영화 수준을 지향하는 초절정 하이코메디 씨니컬 패러디 황색 싸이비 싸이버 루머 저널이며, 인류의 원초적 본능인 먹고 싸는 문제에 대한 철학적 고찰과 우끼고 자빠진 각종 사회 비리에 처절한 통침을 날리는 것을 임무로 삼는다. 방금 소개말에서도 눈치챌 수 있듯이, 본지의 유일한 경쟁지는 썬데이 서울. 기타 어떠한 매체와의 비교도 단호히 거부한다.

많은 회원을 배경으로 딴지 쇼핑몰, 딴지 여행상품을 팔고 있으며 클리닉도 운영하고 있다. 운영은 다양한 상품의 판매와 광고수입이다.

한 미국 청년이 재미로 쓴 연예인 정보 드러지리포트Drudge Report.com도 상당한 성공을 거둔 경우다. 이처럼 웹진은 반짝이는 아이디어와 재치 하나로 별 다른 자본 없이 크게 성공할 수 있는 가능성이 남아 있는 분야다.

6. 커뮤니티 모델

커뮤니티 모델은 CtoC 모델과 비슷하지만, CtoC 모델이 사고 팔고에 중점을 두고 있는 것에 비해 커뮤니티 모델은 일단은 공통의 관심사를 가진 사람들이 모이는 사이버 공간이라는 점에서 다르다. 상품 거래는 부차적으로 일어날 수도 있고 일어나지 않아도 그만이다.

애완동물에 관심을 가지고 있는 사람들의 모임을 보자. 여기에는 강아지, 토끼, 관상어, 이구아나, 고양이, 햄스터, 새 등을 기르는 사람들이 모여 정보를 교환하는 커뮤니티의 장이다. 좀더 많은 회원들의 참여를 위해 전문가를 초청하여 상담도 해준다. 전문가들은 기꺼이 무료로 상담에 응한다. 왜냐하면 대부분 동물병원을 운영하는 전문가들에게는 이 회원들이 자신의 잠재 고객들이기 때문이다. 예를 들면 다음과 같다.

> Q. 어제 토끼가 새끼를 낳는데, 젖도 주지 않고 밟고 다니고 그러는데 어떻게 하지요?
>
> A. 일단 집의 크기를 넓혀야 하고 따뜻해야 합니다. 어미가 있는 장소와 새끼가 있는 장소가 따로 있어야 하며 서로 통해 있어야 한다는 뜻이지요. 토끼는 하루에 한 번이나 두 번 젖을 줍니다. 강아지같이 새끼 곁에 계속 있지 않고 젖을 줄 때만. 문제가 좀더 심각하면 저희 병원으로 한 번…

애완동물 분양, 관련용품의 판매, 광고가 수입원이다. 분양의 경우 일반적인 종은 정해진 가격에 분양을 하지만 귀한 종이라면 경매를 통해 분양한다. 관련용품의 종류도 일반인들이 상상할 수 없을 정도로 많다. 강아지를 예로 본다면 강아지 간식, 껌, 건강·영양식, 목줄, 체인, 미용용품, 식기, 용기, 장난감, 의류, 잡화, 이동장, 침대 등 다양하고 강아지 샴푸만 해도 종류가 많다. 광고는 관련기관, 단체, 수의사, 동물병원, 관련용품 생산회사 등의 광고다.

강아지 샴푸 그린애플

향이 좋은 샴푸 크레이지 독—그린 애플을 소개합니다. 신선한 사과향이 매력적인 샴푸로 지겹기만 한 목욕시간이 즐거워집니다.

강아지 영양식 프로플랜 퍼포먼스

프로플랜은 닭의 날개, 다리, 머리, 내장을 제외한 순수 살코기만으로 만든 최고급 애견 사료입니다. 순수 닭고기에서 얻어지는 양질의 단백질과 풍부하고 균형 있는 아미노산이 가득한 프로플랜을 먹여보세요. 윤기 있는 피부에, 생동감 있고 건강한 애견으로 성장할 것입니다.

이 정도면 웬만한 사람보다 나은 게 개팔자인 셈이다. 어쨌든 이 시장은 폭발적으로 성장할 것이 틀림없다. 중년에 퇴직한 사람으로 애완동물에 관심이 있는 사람은 애완동물 온-오프라인 비즈니스가 도전할 만한 아이템으로 보인다.

커뮤니티 모델은 앞서의 콘텐츠 모델보다 접근이 용이하다. 콘텐츠 모델은 지속적으로 내용물을 올려야 하지만 커뮤니티 모델은 이곳을 찾는 사람들이 스스로 콘텐츠를 만들어가기 때문이다. 예를 들면 건강에 관한 질의, 응답 자체가 읽을거리다. 또 충성심이 높은 회원들로 구성되어 방문 빈도가 높은 것이 특징이다. 아이러브스쿨iloveschool.co.kr 같은 경우가 대표적인 커뮤니티 사이트일 것이다.

커뮤니티 사이트의 주 수입원은 광고다. 커뮤니티에 모이는 사람들은 충성도가 높고 방문 빈도 또한 높기 때문에 콘텐츠 사이트에 비해 광고 유치에 유리하다. 또 대부분 많은 회원들이 모이는 곳이기 때문에 상품 판매나 공동구매 등의 사업을 전개하기에 유리하다. 설문조사 같은 것도 추가 수입원이 될 수 있다. 세이클럽sayclub.com처럼 사이버 마스코트인 아바타를 만들어 히트상품을 만들어낼 수도 있다. 수입원에 대해서 깊은 연구를 하기 바란다.

광고주와 소비자를 이어주는 사이버골드

사이버골드cybergold는 새로운 형태의 사이버 출판이다.

여기서 취급하는 아이템은 디지털 형태로 가공한 서적, 소프트웨어, MP3 음악, 지도 등 디지털 상품들인데, 25센트 이하의 아주 저렴한 가격에 판매한다. 다만 일반적인 수단(신용카드나 현금 등)으로는 구입할 수 없다. 아무리 많은 돈을 주어도 구입할 수가 없다. 이 사이트 내에서 돈을 벌어 그 돈으로만 구입할 수 있다. 바로 사이트 다른 한켠에 마련된 광고를 보는 것이다. 광고를 보거나 상품과 관련된 설문에 응하면 '사이버 골드'가 적립되고, 이 돈으로 필요한 디지털 상품을 구입하게 하는 방식이다. 이 밖에 회원들의 지속적인 방문을 유도하기 위해 검색엔진, 채팅, 게임, 뉴스, 주식 정보 등 다양한 읽을거리, 즐길거리를 제공하고 있다. 회원 200만 명을 넘었다고 한다.

사이버골드는 얼핏 우리나라에도 등장했던 아이템 골드뱅크 goldbank와 비슷하다. 골드뱅크의 경우 "광고를 보면 돈을 드립니다"로 회원을 모은 경우다. 이 아이템이 미국에서는 실패했지만 우리나라에 들어와서는 한때 무서운 기세를 탄 적이 있었다.

인터넷 보물찾기

인터넷 보물찾기는 우리나라에서 시작된 새로운 인터넷 기반의 광고 모델이다. 인터넷 광고 하면 보통 배너 광고를 떠올리지만 배너 광고는 클릭하는 사람이 별로 없다는 문제를 안고 있다. 이에 비해 보물찾기 모델은 서핑surfing형 광고다. 서핑형 광고란 인터넷의 강점인 쌍방향성을 이용하여 회원들이 광고주 사이트에 숨어 있는 보물을 찾아가게 함으로써 서핑하는 동안에 상품의 특성을 충실히 전달하려는 광고주의 의도를 잘 반영하고 있다. 이 서핑 광고는 광고를 완벽하게 보아야만 보물을 찾을 수 있게 설계되어 있다. 물론 보물을 찾은 회원들에게는 보물에 해당되는 상금이 주어진다.

1998년 인터넷업체인 제이앤제이 미디어에서 선보인 이 광고에는 총 1억 5000만 원의 상금을 걸어 단번에 13만 명의 회원을 확보하는 기록을 세우기도 했다. 물론 회원가입은 무료다. TV 등의 대중매체가 한계점에 이른 지금 인터넷은 새로운 광고매체임에 틀림없다. 이와는 조금 다르지만 자신의 사이트를 홍보하기 위한 이벤트로 보물찾기를 개최하는 곳도 있다. 가격비교 사이트의 하나인 마이마진mymargin.com에서는 주말에 홈페이지에 숨겨져 있는 보물(문화상품권)을 찾게 하는 이벤트를 열기도 한다. 앞으로 인터넷을 기반으로 하는 새로운 광고 기법들이 속속 나타날 것으로 보인다.

7. 인터넷 비즈니스의 성공 조건

통계에 의하면 우리나라만 해도 인터넷 기반의 기업들이 하루에도 수백 개씩 명멸을 거듭하고 있다. 철저한 준비와 확실한 수익 모델이 없이 뛰어들었다가는 6개월 이내에 문을 닫는 경우가 대부분이다. 대략 다음과 같은 원칙이 지침이 될 수 있을 것이다.

차별화된 콘텐츠

인터넷 비즈니스의 핵심은 3C, 즉 콘텐츠contents, 커뮤니티 community, 커머스commerce다. 차별화된 창의적인 콘텐츠를 가지고 많은 회원들을 모아 커뮤니티를 형성한 다음이어야 상품이나 서비스를 제공할 수 있다는 뜻이다. 사이버 공간에 상품을 진열만 했다고 해서 거래가 이루어지는 것은 결코 아니다. 차별화하라는 말은 기존의 강자를 모방하지 말라는 뜻이다. 많은 사람들이 잘되는 아이템을 엇비슷하게 모방한 다음 가격을 싸게 하면 팔리지 않을까 하고 생각한다. 그러나 그건 착각이다. 그런 모델은 성공할 수 없다. 이제는 오프라인이라도 그렇게 접근해서는 안 된다. 하물며 모든 것이 일목요연하게 대비되는 인터넷이라면 그런 식의 접근은 하지 않는 것만 못하다. 나만의 창의적인 콘텐츠가 있어야 한다. 많은 사람들이 와서 보고 참여하는 가운데 거래가 이루어진다는 것이다. 인터넷에서 물리적인 상품을 판매하는 경우라도 훌륭한 콘텐츠를 갖추지 못하면 회원들이 찾아들지 않는다.

확실한 수익 모델

사이버 비즈니스는 확실한 수익 모델이 있어야 한다. 확실한 수익 모델 없이 회원들만 모은다고 수익이 발생하는 것은 아니라는 것이다. 앞서 사례로 들었던 미국의 우먼닷컴Women.com의 경우를 보자. 여자의 일생에 필요한 모든 콘텐츠를 제공하고, 모든 상품을 다 취급한다는 것을 목표로 하고 있다. 이를 자세히 보면 범위가 지나치게 넓다는 감이 없지 않고, 회원 수에 비해 판매는 그리 많이 일어나지 않는다. 판매가 일어난다 해도 콘텐츠 제공에 소요되는 비용, 운송에 따른 비용 등으로 이익이 얼마 남지 않는다. 판매 위주의 모델로 성공했다는 아마존 역시 운송비와 재고 확보에 소요되는 비용으로 인해 이익이 나지 않는다는 점을 유념해야 할 것이다. 말하자면 프라이스라인priceline.com처럼 C2B라는 확실한 수익 모델을 가지라는 것이다.

고객의 관점에서 출발

고객의 관점에서 출발하라는 것은 오프라인에서도 마찬가지다. 그러나 인터넷에서는 그 비중이 훨씬 더 높다. 오프라인 기업이라면 더 좋은 상품을 더 값싸게 만드는 것이 중요했다. 그러면 고객이 찾는다는 확신이 깔려 있었지만 사이버 공간에서는 고객이 사이트를 방문하는 데서 모든 것이 출발하기 때문에 모든 과정을 고객의 입장에서 전개해나가야 한다.

기회를 선점하라

오프라인 비즈니스에서도 기회의 선점은 아주 중요하다. 선발을 모방한 후발이 선발을 이기는 경우는 극히 드물다는 것이다. 그러나 인터넷 공간에서는 드문 정도가 아니라, 거의 불가능하다. 수확체증의 법칙이 적용되는 곳이 인터넷 공간이기 때문이다. 가상적인 예를 들어보자. 독특한 비즈니스 모델로 어느 한 분야를 선점한 기업이 있다고 하자. 이들이 확보한 회원은 30명이다. 그러자 이를 응용 모방한 후발이 나타나 10명의 회원을 확보했다. 그랬을 때 이들 사이에서 일어날 수 있는 커뮤니케이션의 비율은 3:1이 아니라 10:1에 가까워진다는 것이다.(30C2=435, 10C2=45). 따라서 기회를 선점하여 많은 회원을 확보한 쪽에는 점점 더 많은 회원들이 몰릴 것이고, 반대편에는 확보한 회원들마저 떨어져 나간다는 것이다. 이것이 온라인의 법칙이다. 따라서 인터넷 비즈니스에서 성공하기 위해서는 어느 분야든 선두가 되어야 한다.

방어망을 구축하라

일단 성공을 했다 하더라도, 또 선발의 이점을 가지고 있다 하더라도 어딘가 허점이 있는 경우, 아니면 막강한 자본을 가진 후발의 추격이 계속되는 경우에는 위기에 봉착할 수도 있다. 아마존의 경우가 그러하다. 아마존은 인터넷에서 책을 팔기 시작한 최초의 사이버 서점으로 선점의 이점을 톡톡히 누린 기업이다. 그리하여 미국 최대의 오프라인 서점 반스앤노블스를 앞서 나가자 막강한 자금력을 앞세운 반스앤노블스의 무서운 추격이 시작되었다. 반스앤노블스의 강점은 오프라인 서점이기에 재고를 확보하고 있다는 점이다. 이를 이용하여 신속 배송으로 맞서자 재고 제로를 원칙으로 삼던 아마존으로서도 엄청난 양의 재고와 창고, 물류기지를 갖추지 않을 수 없었던 것이다. 이것이 아마존이 고전하는 이유다. 이렇게 되자 아마존은 지금 소비자들에게 강력하게 심어진 자신들의 브랜드 '아마존'을 살려 인터넷 종합백화점으로의 탈바꿈을 시도하고 있다.

방어망 구축은 아마존에서 보듯이 끊임없는 변신과 강력한 브랜드 이미지 구축, 그리고 가능하다면 비즈니스 모델을 특허로 등록하는 것이다. 아마존에서 출원한 원클릭 모델이 특허로 인정된다면 전세계 사이버 서점에는 커다란 지각 변동이 일어날 것으로 보인다.

Chapter 2

오프라인 아이템

아무도 하지 않은 아이템을 만드는 데는 더하기, 빼기가
기본. 하지만 '무엇을 할까?'에 너무 집착하지 말라.
먼저 컨셉을 정한 다음 그에 맞는 아이템을 찾아 나간다.

1. 뉴비즈니스 접근 방법

아이디어는 심플하게

비즈니스 아이디어는 심플해야 한다. 몇 마디의 말로 표현할 수 있을 정도로 간단, 명쾌해야 한다. 실리콘밸리의 투자가들은 현관에서 만나 엘리베이터를 타고 사무실로 올라가는 몇 십 초 이내에 설득할 수 있어야 한다고 말한다. 그만큼 명료해야 한다는 의미일 것이다. 정주영 회장이 조선 사업을 시작할 때의 일화를 보자. 조선 사업에 대해 참모들 모두가 반대했다. 경험도 없이 어떻게 하느냐는 것이었다. 이에 대한 정주영 회장의 답변, "아니, 배라는 게 뭐 별거겠어? 철판 잘라다 용접으로 붙이면 되는 거지!" 제프 베조스는 그의 책에서 아마존을 설립할 때의 이야기를 이렇게 적고 있다. "인터넷으로 주문을 받아 우편으로 배송해 주면 될 거 아니냐!" 아이들처럼 단순한 발상만이 세상을 바꾸는 것이다.

좁은 영역에서 선두가 되라

잘 되는 아이템을 따라서 하면 성공한다 해도 나누어 먹기가 된다. 물론 점포 사업인 경우에는 상권의 문제가 있으니 위치를 잘 잡으면 어느 정도 돈을 벌 수는 있을 것이다. 그러나 큰돈을 벌지는 못한다. 그러나 좁은 영역에서 틈새 아이템을 찾아내어 성공한다면 전국이 나의 시장이 된다. 요즘 무섭게 떠오르고 있는 벤처기업 인따르시아를 보자. 이 회사는 1995년에 양말 전문기업으로 출발하여 패션 양말, 바이오 양말, 항균 양말, 향기 양말 등으로 1000억 가까운 매출을 올리고 있다. 내수보다 수출이 더 많은 기업이다. 만약 설립 당시의 자본금으로 뭐 할 게 없을까 고민하다가 강남에 유명 브랜드의 의류매장을 열었더라면 지금의 성공은 절대로 없었을 거라는 것이다. 인따르시아는 전국 200여 개의 매장을 거느리며 이 분야에서 전국을 석권했다. 이처럼 좁은 영역에서 성공을 거두면 전국이 나의 시장이 된다는 것이다. 아이템은 좁게, 상권은 넓게 봐야 한다.

2. 아이템 만드는 법

더하고 빼고

점포 사업이 아닐 경우에는 아무도 하지 않는 새로운 아이템이어야 크게 성공한다. 전혀 다른 새로운 아이템을 만들기는 쉽지 않지만, 기존의 것을 더하고 빼면 의외로 훌륭한 상품을 만들 수 있다. 아이템을 개발한다고 머리 싸맬 필요가 없다는 얘기다. 기존의 것에서 기능이나 용도, 컨셉을 더하거나 빼면 전혀 다른 훌

룡한 아이템이 될 수 있다. 특허 역사상 가장 돈을 많이 번 아이템이 지우개 달린 연필과 가시 철조망인데, 이들은 갑자기 하늘에서 떨어진 아이디어가 아니라 기존의 것에 하나를 더한 것에 불과하다. 실제로 이 세상의 위대한 발명품 대부분은 기존의 것을 조금 개량한 것에 지나지 않는다. 이것이 덧셈, 뺄셈이다.

덧셈, 뺄셈은 아이디어맨들 사이에서는 익히 알려진, 비법도 아닌 비법이지만 이를 공식화한 사람이 바로 한때 일본 제일의 부자였던 제일교포 3세, 소프트뱅크 사장 손정의 씨다. 그는 자신의 책에서 사업 아이디어를 만드는 방법을 이렇게 적고 있다.

- 먼저 300장의 카드를 준비한다.
- 여기에 자신이 관심을 가지고 있는 분야의 상품명을 하나씩 적는다.
- 아침에 일어나면 정신을 통일한 다음, 무작위로 카드 석 장을 뽑는다.
- 그러고는 이들 셋을 더하면 무엇이 될까, 빼면 무엇이 될까를 생각한다.

이때 기술적인 문제나 방법론적인 문제는 전혀 고려하지 않는다. 기술적인 것은 기술자에게 맡기면 된다. 큰 틀의 새로운 개념, 컨셉만 만들어내는 것이다. 예를 들어 그날 뽑은 카드에 라디오, 카세트, 헤드폰이 나왔다면 이들을 모두 합치면 무엇이 될까 하고 상상을 하라는 것이다. 이들을 모두 합치면 바로 20세기 최고의 히트상품인 워크맨이 된다.

크레파스 이야기

좀 나이가 든 독자들은 크레용으로 그림 그리던 추억을 갖고 있을 것이다. 그러나 요즘에는 크레용이 사라진 지 오래다. 모두 크레파스로 대체되고 말았다. 크레파스가 탄생한 뒷이야기를 보자. 어느 사람이 자녀들이 그림 그리는 모습을 지켜보고 있으려니 크레용은 너무 끈적거려서 잘 그려지지 않고, 파스텔은 너무 푸석거려서 옷깃만 스쳐도 묻어나 둘 다 불만스러웠다. 그는 혼자서 이렇게 중얼거렸다.

"멍청한 것들, 이 두 가지를 섞으면 끈적거리지도 않고 바스락거리지도 않을 텐데…."

옆에서 그 이야기를 듣고 있던 부인이 무릎을 치며 그런 거 한번 만들면 많은 돈을 벌 수 있을 거라며 거들었다. 그는 즉시 특허를 냈다. 이름도 크레용과 파스텔을 합친 '크레파스'로 정했다. 그는 이 아이디어 하나로 천문학적인 돈을 벌었다. 이제 크레파스는 세계를 제패한 아이템이 되어 일반명사로 사전에까지 오르는 영광을 안게 된 것이다. 전형적인 덧셈 아이템이다. 주위를 살펴보면 이런 아이템들이 무수히 많다. 가시 철조망, 십자 드라이버, 필터담배 등이 그러하다. 낙지대학 떡볶이과도 낙지와 떡볶이를 더한 아이템이다. 특히 인터넷 시대에는 기존의 오프라인 아이템을 인터넷과 적절히 연결시킬 경우 전혀 새로운 개념의 아이템이 나오는 경우가 많다.

그러나 여기서 말하는 덧셈은 단순히 두 가지 아이템을 나열한 복합의 개념과는 다르다. 두 가지를 합치지만 전혀 다른 개념의 새로운 아이템으로 태어나는 경우를 말한다. 크리넥스라면 두루마리 화장지와 네모 종이상자를 합친 것 이상의 개념이 된다는 것이다. 두루마리 화장지가 화장실용이라면 네모 상자에 든 티슈는 화장대용이다. 혼합의 개념이 아닌 화합의 개념이다.

입체그림지도 비틀맵

비틀beetle은 딱정벌레 정도의 의미다. 이곳에서 하는 일은 지도를 만드는 일이다. 일반적인 지도가 아니라, 주제별 입체그림지도다. 서울 지도를 그린다면 서울이라는 큰 밑그림 위에 특정 주제, 예를 들면 역사, 유적과 관련된 것들만 크게 부각시켜 입체로 그려낸다. 서울은 조선조 500년 도읍지였기에 수많은 역사 유적, 유물이 있지만 일반인들이 아는 것은 그저 고궁 정도일 것이다. 서울의 밑그림 위에 역사, 문화, 중요 사건 등과 관련된 지역을 그려 넣으면 훌륭한 역사 학습자료가 된다. 실제로 서울의 각 초등학교에서는 방학 동안 이 지도를 교재로 사용하여 아이들에게 숙제를 내기도 했다. 서울에 남아 있는 유적들을 찾아다니며 표지판 설명문을 적어 오라는 것이었다. 아이들은 지도를 보며 안국동에 있는 우정국 옛터를 찾아 '아하, 여기가 옛날 개화당이 갑신정변을 일으킨 곳이구나', '여기가 대원군이 집정하던 운현궁이구나.' 하면서 역사 공부를 몸으로 하게 된다는 것이다. 이것은 지도에다 역사라는 주제를 더한 개념이다.

　이태원을 찾는 외국인들이라면 이태원 지도 한 장 들고 이태원에서 먹고 자고 구경하고 쇼핑하는 문제를 해결하기는 쉽지 않다. 그러나 이태원 밑그림 위에 주제별로 지도를 그리면 아주 간단하다. 제1주제 잠잘 곳, 제2주제 먹을 곳, 제3주제 쇼핑할 곳 등 이렇게 세트로 된 이태원 지도 하나만 가지면 가이드 없이 모든 것을 해결할 수 있다. 이를 다시 인터넷과 결합하면 아주 좋은 콘텐츠가 된다. 먼저 이태원을 클릭한다. 메뉴판 중에서 숙박, 음식점, 쇼핑, 볼거리 등 자신의 관심사를 클릭한다. 그러면 이태원 권내에 있는 상세한 관련 정보가 뜨게 된다. 이를 영어, 일어, 중국어 등으로 내용물을 구성하면 가이드 없이 이태원을 구경하는 데 문제가 없다.

　홍보나 판매 촉진용으로도 비틀맵이 많이 활용된다. 현대 자동차라면 서울시 지도에서 현대 자동차와 관련된 것만 돌출시켜 강조하는 지도가 필요하게 된다. 판매점, A/S 센터, 주유소 등이다. 대학들은 복잡한 캠퍼스를 쉽게 찾아다닐 수 있는 안내 지도가 필요할 것이고, 인천 국제공항이나 송도 타운은 쉽게 찾아갈 수 있는 사이트 맵이 필요할 것이다.

비틀맵의 가치는 지방자치가 실시되면서 더욱 빛나고 있다. 지방자치단체들은 자기 고장을 알리고, 관광객을 유치하고, 지방 특산물 판매를 촉진해주는 게 임무다. 주제별로 구성된 입체그림지도야말로 이 기능을 가장 잘 해낼 수 있다. 4년 전 이 일을 시작한 비틀맵의 김은영 사장은 필자가 키워낸 수제자 중 하나다. 2001년 1월 11일 벤처기업으로 지정되어 코스닥 상장을 기다리고 있는 중이다. 사업 아이템은 하늘에서 떨어지는 그 무슨 기발한 것이어야 하는 게 아니다. 주위에 널려 있는 기존의 것들을 조금만 다듬으면 얼마든지 새로운 개념을 만들어낼 수 있다.

오디오북

책 읽을 시간이 없는 사람들을 위해 대신 책을 읽어주는 오디오북 사업이 미국에서 잘 되고 있다고 한다. 운전을 하는 동안이나 집안일을 하는 동안 오디오로 듣는 것이다. 미국의 오디오북 시장 규모는 14억 달러 정도인데 매년 30% 가까운 성장을 거듭한다고 한다. 우리나라의 경우, 몇 년 전에 고시생들을 위해 육법전서를 오디오로 낸 아이디어맨이 있었으나 다양한 분야의 책으로 오디오북 사업을 시작한 사람은 없었다. 장르가 너무 넓기 때문에 아이들을 위한 동화나 회사원 운전자들을 대상으로 하는 경제·경영 분야의 책, 또는 주부들을 대상으로 하는 베스트셀러 등으로 분야를 좁혀서 접근해보는 것이 필요할 것으로 보인다.

⚜ 카페 + 창업 정보

경기도 안산에서 시흥시 방면으로 가다가 보면 미처 시가지가 형성되지도 않은 들판에 분위기 좋은 카페가 하나 있다. 그런데 이 카페는 서울에까지 소문이 나서 손님들이 몰려오고 있다. 비결은 창업 정보를 제공해주는 카페라는 것이다. 인테리어업을 하는 주인이 이곳에 카페를 만들어 놓고는 손님을 끌 아이디어를 생각하다가 창업 정보 제공을 더한 것이다. 이곳에서는 창업과 관련된 각종 도서, 신문 스크랩, 해외 창업 트렌드 등의 정보를 비치해 놓고 누구나 자유롭게 열람할 수 있도록 하고 있다. 창업 적성검사도 해볼 수 있으며 특정 분야인 경우에는 주인이 직접 창업 상담을 해주기도 한다. 카페를 열 계획이라면 인테리어에만 신경을 쓸 게 아니라, 이런 특성 하나 정도는 가미하는 게 훨씬 유리할 것이다.

이와는 다소 다르지만 일본에는 잉글리쉬 스피킹English Speaking 술집이 있다. 우리나라의 룸살롱과 비슷한데 여기에 있는 여종업원들은 모두 영어를 쓴다고 한다. 이곳을 찾는 사람들은 외국 손님을 접대하는 사람이나 자신의 영어 실력을 과시하기 위해 동료나 부하직원들을 데리고 오는 사람들이 많은데, 일본인들의 짧은 영어 실력 때문에 장사는 별로라고 한다. 우리나라라면 영어 잘 하는 사람들이 많아서 상당한 호응을 얻을 수 있지 않을까. 모두 기존의 아이템에서 컨셉 하나를 더한 경우다.

⚜ 퓨전 음식점

지난 몇 년 사이 가장 유행한 외식업 아이템은 퓨전fusion 음식과 테이크아웃takeout 전문점이었을 것이다. 퓨전이 다소 이 질적인 요소를 더한 덧셈이라면 테이크아웃은 음식을 밖으로 들고 나가서 먹을 수 있게 했다는 점에서 뺄셈이 된다. 근래에 등장한 마늘 치킨점을 보자. 기존의 치킨점은 호프와 함께 프라이드 치킨을 파는 게 보통이었으나 이곳에서는 치킨에다 '마늘'이라는 개념을 더했다. 마늘 치킨은 마늘을 중심으로 12종의 재료를 넣어 24시간 숙성시킨 것으로 맛과 영양이 속살까지 스며들게한 퓨전 아이템인 셈이다. 이런 식의 퓨전 아이템은 당분간 강세를 보일 것으로 예상된다. 최근에 등장하여 젊은이들의 인기를 끌고 있는 피자와 아이스크림 복합점, 돌솥비빔밥에다 치즈, 참치를 믹스한 치즈비빔밥, 참치비빔밥 등도 이런 부류에 속한다.

⚜ 과학실험을 오락으로

미국에는 골치 아픈 과학실험을 오락처럼 재미있게 할 수 있게 해주는 장난감이 등장하여 아이들에게 인기를 얻고 있다고 한다. 오락을 통해 자연과학의 원리를 스스로 깨닫게 해주는 장난감 세트다. 과학실험의 주제만큼이나 종류가 많은데, 학교나 캠프, 유치원, 탁아소 등이 주요 고객이라고 한다. 실험과 오락을 더한 개념이다.

⚜ 배달 + 편의점

편의점과 배달을 결합해보자. 편의점이라면 24시간 상품을 판매하는 곳이므로 배달과 결합시키면 24시간 언제든지 주문만 하면 상품을 집에서 받아볼 수 있는 아이템이 될 것이다. 실제로 미국에서는 편의 배달점이 뜨고 있다고 한다. 이들이 취급하는 아이템은 일반 편의점보다 훨씬 많다. 진열 공간의 제한이 없기 때문이다. 이들은 30분 이내 배달을 모토로 하고 있다. 그러기 위해 4~5명의 배달원들이 24시간 대기하고 있다. 30분이 넘도록 배달이 되지 않았을 때는 3달러짜리 쿠폰을 제공한다. 상품 가격은 일반 가게보다 좀 비싸지만 시간이 없는 사람, 몸이 불편한 사람, 야간 작업을 하는 사람, 밤 늦은 시간에 쇼핑 나오기가 귀찮은 사람들이 주로 애용한다. LA에서 이 사업을 시작한 핑크닷pinkdot.com은 1호점 성공을 바탕으로 40여 개의 점포로 확대해나가고 있는 중이라고 한다.

가설적이지만 이를 한 단계 더 발전시켜보자. 제삼자가 나타나 여러 개의 편의점을 엮는다. 그러고는 이들에게 주문 시스템을 구축해주고서, 이들 전체의 배송을 중개하는 것이다. 편의점들로서는 기존의 판매 외에 플러스 알파의 매출이 발생하는 것이므로 거절할 수 없을 것이다. 이것도 일종의 수평 네트워크다.

디지털 + 전통문양

교토는 1200년 간 수도였던 일본의 고도古都다. 아직도 전통적인 것들이 고스란히 남아 있는 곳이다. 그러면서도 첨단 사업의 본거지 역할도 하는 곳이 이곳이다. 세라믹 분야의 세계적인 기업 교세라가 이곳에 기반을 두고 있으며, 노벨상 수상자 다나까 고이치도 이곳에서 배출했다. 게임기 하나로 세계를 제패한 닌텐도 역시 이곳에서 화투를 만들어 팔던 기업이다.

요즘 이곳에서는 디지털과 전통문화의 접목을 시도하는 벤처사업이 한창이라고 한다. 교토의 궁성, 사찰, 성벽 벽화, 각종 문화제, 탑, 전통 문양 등을 디지털 화상으로 바꾸어 의류, 문구류, 잡화류, 도자기 등의 디자인으로 이용하는 사업이다. 기모노에도 수영복에도 이런 전통 문양이 들어간다고 한다. 디지털과 전통 문화재의 결합이다. 우리나라에도 누군가 이런 일을 한다면 국가적인 지원도 받을 수 있지 않을까.

새로운 컨셉의 상품을 만드는 방법

기획상품은 컨셉이 우선이다. 창업 상담을 해보면 거의 대부분의 예비창업자들은 '무엇을 할까?'에 매달린다. 무엇이 좋겠느냐는 것이다. 그러나 이때의 '무엇'은 이미 시중에 나와 있는 아이템일 수밖에 없다. 그 중 무엇이 좋겠느냐는 식이다. 이런 식의 접근 방식으로는 새로운 것이 나오지 못한다. 무엇이 아니라, 아이템의 컨셉을 먼저 정하라는 것이다. 컨셉이 나온 다음에, 그 컨셉에 따라 설계된 아이템은 지금까지 없는 전혀 새로운 아이템이 될 수 있다. 또 디지털 시대의 소비자들에게는 컨셉이 필수적이다. 몇 년 전, 전국적으로 100여 개의 체인점을 거느리며 중견기업 규모로 성장했던 '낙지대학 떡볶이과'의 사례를 정리해보자.

"젊은 남자, 여자가 같이 와서 저렴한 비용으로 밥도 먹고 술도 한잔하고, 사랑이든 인생이든 그들 나름의 이야기를 나눌 수 있는 분위기의 음식점." 이것이 컨셉이다.

이 컨셉을 가지고 아이템을 찾는 방법을 연습해보자. 대학생이나 사회 초년생 정도의 젊은 남자들이 밥도 먹고 술도 한잔 걸칠 수 있는 비교적 가격이 저렴한 아이템을 목록으로 만들어본다. 낙지 외에도 여러 가지가 나올 것이다. 이번에는 젊은 여자들을 중심으로 아이템 목록을 만들어본다. 떡볶이 말고도 여러 가지 아이템이 나올 것이다. 이번에는 이들 두 가지 요소의 공통분모를 찾는다. 그 중에서 앞서의 컨셉에 맞지 않는 것을 하나씩 버리면서 아이템을 압축한다. 서너 가지 중에서 최종적으로 낙지와 떡볶이를 선택하는 것이다. 낙지와 떡볶이라면 야채와 함께 넣어 양념으로 버무린 다음 볶으면 훌륭한 요리가 된다. 익어갈 무렵에는 술 한잔 걸치고, 술잔이 비어갈 무렵에는 공깃밥 넣고 김, 참기름 넣어 볶으면 맛있는 식사가 되는 것이다.

그러나 이것으로 끝나면 안 된다. 컨셉을 천천히 살펴보면 젊은이들이 사랑과 인생을 이야기할 수 있는 분위기여야 한다. 독특한 실내장식과 조명, 젊음이 넘쳐 보이는 만화 등이 소도구로 사용된다. 이렇게 하여 1호점이 성공하면 전국적인 체인점으로 넓혀나가는 것이다. 낙지대학 떡볶이과의 경우 이문동 외대 앞에서 시작하여 전국을 석권했던 아이템이다. 상품 기획은 이렇게 하는 것이다.

⚜ 기획 아이템─스타벅스

이번에는 스타벅스의 사례를 보자. 근래 기획상품의 대표로 꼽히는 아이템이 스타벅스다. 앞서 예에서 보았듯이 기획상품이란 지금까지 없었던 것을 만들어내는 것이 아니라, 하나의 컨셉을 만든 다음 기존의 상품을 그것에 맞게 개량하는 것이다.

몇 년 전에 매혹적인 여배우 맥 라이언이 주연한 〈유브 갓 메일 You've got mail〉이라는 영화가 있었다. 영화가 시작되면 시애틀 시가지가 나타나면서 한 빌딩으로 카메라가 고정된다. 그 빌딩에 있는 고즈넉한 분위기의 커피숍 전경이 펼쳐지고 '스타벅스'라는 로고가 클로즈업된다. 바로 스타벅스 커피 1호점의 모습이다. 영화에서는 아무런 설명이 없다. 그러나 미국인들은 그 건물 모습과 '스타벅스'라는 로고만 봐도 많은 무언의 메시지를 읽을 수 있다. 바로 로맨틱한 분위기의 영화일 거라는 것이다. 이처럼 스타벅스는 미국인들 뇌리에 하나의 문화로 자리하고 있다.

스타벅스 커피의 창업자 하워드 슐츠. 고학으로 학교를 마친 그는 스웨덴계 주방용품 회사에서 일하고 있었다. 그러다가 시애틀에서 커피 끓이는 용기를 다량 구매하는 한 소매점에 눈길이 끌렸다. 알지 못할 호기심에 이끌려 찾아가본 결과 그곳은 수마트라, 케냐, 에티오피아 등지에서 수입한 원두커피를 취급하는 곳이었다. 그는 곧 그 향에 매료되었다. 미국인들이 즐기던 숭늉같이 미지근한 커피가 아니라 강렬한 향내음의 원두커피였다. 그 향에 매료된 그는 당장 그 회사의 마케팅 매니저로 합류했다.

그러고는 커피에 대한 공부를 하기 위해 원두커피의 본고장 격인 이탈리아로 날아갔다. 이탈리아의 커피점에는 사람들이 북적거리고 있었다. 주인은 원두커피에 우유를 섞어 증기를 뿜으며 끓인 다음 거품을 덮어 손님에게 내놓았고, 손님들은 동네 사랑방에 온 것처럼 여유 있는 대화를 즐기고 있었다. 미국과는 전혀 다른 문화적인 분위기였다. 그는 무릎을 쳤다. 이제 커피는 기호품이 아니라 하나의 '문화'여야 한다는 것을 깨달은 것이다.

본사로 돌아와 커피를 끓여서 팔 수 있는 문화적인 공간을 도입하자고 제안했으나 거절당했다. 그러자 그는 독립을 선포하고 사업 계획서를 작성하여 투자자 모집에 들어갔다. 그러나 그가 접촉한 242명 중 217명이 거절했다. 커피를 끓여서 팔면 그게 식당이지 뭐냐는 거였다. 첫 가게는 시애틀에서 가장 높은 빌딩 입구에 차렸다. 그러고는 낭만적인 문화공간으로 포지셔닝을 잡았다. 그러자 그곳은 곧 하루 1000명 이상이 몰려오는 시민의 사랑방이 되었고, 이 독특한 문화공간은 무서운 기세로 세계로 세계로 뻗어가기 시작했다.

스타벅스의 강렬한 향과 고급스런 분위기, 그리고 일관성 있는 스타일과 하나의 문화를 표방하는 브랜드의 힘이었다. 스타벅스 커피점의 편안한 인테리어, 잔잔한 음악, 특유의 조명, 다양한 커피 기구들은 한 잔의 커피를 감각과 감성과 문화의 세계로 승화시켰다.

요즘에는 미국 제일의 아날로그 서점 반스앤노블스에서도 스타벅스 커피점을 영입하고 있다. 반스앤노블스는 인터넷 서점 아마존에 1위의 자리를 내주고 이를 만회하기 위해 분투하고 있는 곳으로, 스타벅스를 영입함으로써 서점의 개념, 컨셉을 바꾸려는 시도를 하는 것이다. 지금까지의 서점이 책을 구입하는 곳이었다면 이제부터는 커피를 마시면서 책도 읽는 문화적인 공간이라는 것이다.

이처럼 디지털 시대에는 디지털 시대에 맞는 감성 상품으로 승부해야 한다. 이를 뒤집으면 우리 주위에서 흔히 볼 수 있는 진부한 아이템들도 디지털적인 감성을 결합시키면 훌륭한 상품으로 업그레이드될 수 있다는 말이다. 이것이 컨셉에 의한 업그레이드 창업이다. 참고로, 앞서의 영화를 찍을 때 제작진은 영화 촬영을 허락해달라며 스타벅스를 찾아가 여러 번 간청했다고 한다. 일반 기업 같았으면 좋은 홍보 기회라며 반겼을 텐데도 말이다.

이제는 미국 어디서나 커피 잔을 들고 거리를 오가는 사람들을 심심찮게 볼 수 있다. 시골이나 도시나 해안이나 공항 어디서든 종이컵을 든 사람들을 만날 수 있다. 이들은 한결같이 하얀 바탕에 녹색 상표가 찍힌 커피 잔을 들고 있다. 스타벅스 커피는 문화의 한 형태로 자리잡은 것이다.

⚜ 기획 아이템 — 여성전용 맥주점 큐즈

큐즈는 근래에 성공한 기획 아이템 중의 하나로, 헤세드에서 선보인 여성전용 맥주집이다. 우선 여성들의 섬세한 마음을 사로잡기 위한 고풍스런 분위기가 돋보인다. 여왕을 상징하는 왕관, 고가구, 또 현대적인 여성을 상징하는 미니스커트와 담배 등이 소품으로 장식되어 있다. 눈(雪) 체험실과 쿨링파이프도 설치해 놓았다. 눈 체험실이란 스노우 머신을 이용하여 마치 눈이 내리는 듯한 분위기에서 맥주를 마시도록 연출한 것이며, 쿨링파이프는 맥주가 소용돌이치며 숙성되는 과정을 보여준다. 혼자 방문하는 고독한 여성을 위해 걸터앉아서 한 잔씩 마실 수 있는 바도 설치되어 있다. 주요 고객이 여성임을 고려하여 저칼로리의 다양한 다이어트 안주류를 갖추고 있다. 초콜릿, 허브 등 여성들이 좋아하는 소품들을 판매하는 숍인숍도 있다. 또 여기서는 인터넷 방송국을 설치하여 나이트 댄스, 깜짝 퀴즈, 사랑 고백 등 다양한 프로그램을 펼치고 있다. 방송 내용은 전국 가맹점으로도 방송된다. 여기서 개발한 잔 속에 또 다른 작은 잔이 들어 있는 멀티컵은 테이크아웃 용도다. 이처럼 하나의 테마를 가지게 되면 전혀 새로운 개념의 맥주점이 된다.

⚜ 딱 한잔!

일본에서는 지하철 역세권이나 사무실 밀집 지역을 중심으로 딱 한잔! 집이 유행이다. 우리나라의 포장마차와는 다르다. 우리나라의 포장마차는 70년대에는 낭만이 있었고, 컨셉도 간단히 한잔의 개념이었지만 이제는 비싸기만 하고 우중충한 곳으로 변해버렸다. 일본의 딱 한잔! 집은 우선 깨끗하다. 딱 한잔!에 어울리게 의자는 없고 허리 높이의 테이블이 설치되어 있다. 안주도 200엔짜리들로 구성되어 있는데, 1000엔 이상은 팔지 않는다. 그야말로 퇴근길에 딱 한잔!만 하고 가는 술집이다. 하룻밤에 평균 4회전 이상을 할 수 있다고 한다. 이것도 딱 한잔!을 컨셉으로 하는 사례로 보인다.

⚜ 헌책방

　미국과 일본에서는 헌책방이 잘 된다. 헌책뿐만 아니라 스포츠용품, 헬스기구, 장난감 등 중고품 장사가 잘 되는 편이다. 이 점이 우리나라와는 다르다. 헌책방이라면 이제 우리나라에서는 거의 사라져가고 있는 곳이나 일본의 헌책방은 개념이 다르다. 기존의 헌책방을 리모델링한 첨단 아이템인 것이다. 일본 북오프Book-Off의 경우를 보자. 우선 조명이 밝고 활기차다. 향긋한 냄새까지 난다. 카페나 패션몰이 아닌가 생각될 정도로 깔끔하다.

　북오프의 확실한 컨셉은 가격 시스템이다. 새로 반입된 책은 무조건 절반 가격, 3개월이 지난 책은 무조건 100엔이다. 이런 확실한 컨셉으로 이곳을 찾는 사람들의 발길이 끊이지 않는다고 한다. 이제는 어떤 아이템이든 컨셉이 분명하지 않으면 안 된다. 또 단순해야 한다.

3. 점포 사업의 진화

점포 사업은 전문화와 대형화, 복합화의 길을 동시에 가고 있다. 우리나라 유통의 역사를 간략히 짚어보면 50년대 이후 개인이나 중소 유통업이 주도하던 재래시장, 70년대의 백화점, 할인점 등 대형화 붐, 그리고 21세기로 접어들면서 일기 시작한 전문점, 카테고리 킬러category killer의 등장을 들 수 있다. 이 단계를 지나면 전문 아이템은 라이프 스타일 전문점으로 넘어가거나 대형 복합매장이 등장하게 된다.

일반점/종합점-전문점-카테고리 킬러점-라이프 스타일 전문점

일반점/종합점이라면 동네 슈퍼마켓 정도로 보면 된다. 또 대형 소매점도 일반점/종합점 형태다. 이들의 특징은 상권에 가장 민감하게 반응한다는 것이다. 슈퍼마켓이라면 동네에 있는 슈퍼마켓을 두고 이웃 동네까지 가는 사람은 거의 없다. 그러나 전문점이 되면 이웃 동네는 물론 먼 곳까지도 찾아가게 된다.

전문점

전문점과 카테고리 킬러는 둘 다 전문점이라는 이름으로 불린다는 점에서 비슷하게 분류하는 경우도 있으나 필자는 여기서 구분해서 사용하고자 한다. 전문점은 아이템을 중심으로 전개되는 반면 카테고리 킬러는 용도, 용처를 중심으로 전개된다. 일반적인 전문점은 양말 전문점, 내의류 전문점, 장난감 전문점, 피자 전문점 하는 식이다. 카테고리 킬러는 선물용품 전문점, 주방용

품 전문점, 혼수용품 전문점 하는 식으로 하나의 주제 아래 다양한 아이템이 모두 포함된다.

⚜ 최근 등장한 전문점

최근 우리나라에 아주 이색적인 전문점 하나가 등장했다. 마스크만 판매하는 곳이다. 아이템을 중심으로 전개된다는 점에서 전형적인 전문점이다. 종류도 아주 다양하다. 사스SARS 예방용 마스크부터 황사 방지용, 알러지 방지용, 천식환자 보호용, 꽃가루 방지용, 먼지 방지용, 화학물질 방지용, 진드기 방지용, 기관지·호흡기 보호용 등이다.

이를 착용하면 각종 오염물질을 차단해주는 것은 물론 기침, 천식을 멈추게 해주며, 추위로부터도 보호하고 피로도 훨씬 줄일 수 있다고 한다. 우리나라에서는 아직 이런 식의 본격적인 기능성 마스크가 나오지 않아 전량 수입에 의존하고 있다. 환경 문제가 나아질 전망이 없고 보면 앞으로 마스크 전문점은 일상적인 아이템이 될 것으로 전망된다. 아직은 초기여서 시장 참여의 가능성이 높은 것으로 생각된다. 전형적인 전문점이다.

⚜ 완구 전문점에서 화장품 전문점으로

요즘 일본의 완구, 장난감 회사들은 고민이 이만저만 아니라고 한다. 아날로그 세대의 어린이들이라면 소꿉장난과 인형,

앙증맞은 주방놀이용품을 갖고 싶어했으나 전자오락의 급부상과 휴대전화 등의 보급으로 이제 인형을 갖고 노는 아이들이 점점 사라지고 있다는 것이다. 디지털 시대의 아이들인 것이다. 이처럼 점점 줄어드는 장난감 시장의 수요를 만회하기 위해 나온 아이디어가 바로 어린이 화장품이다. 용기 디자인도 이들의 감성에 맞추어 각종 동물 캐릭터나 무지개 문양 등 장난감이라고 해도 손색이 없을 정도다. 정확히 말하자면 장난감과 화장품의 혼합인 셈이다. 이것이 인기라고 한다.

장난감처럼 예쁘고 앙증맞으면서도 화장품으로서의 기능도 떨어지지 않는다. 아이섀도 등 메이크업 화장품들이 성인들의 화장 분위기를 흉내내는 데 손색이 없고, 중학생에서부터 이제는 초등학생들에까지 로틴low teen 세대를 강타하고 있다고 한다. 이들의 주머니 사정을 감안하여 가격도 개당 300엔 수준이다.

이를 선도하는 기업은 완구 회사인 다카라 등인데 매출이 예상을 뛰어넘자 전매장으로 확대했고, 어린이날이나 성탄절 등에는 수천 개의 어린이 화장품이 팔려나간다고 한다. 이는 아이템을 중심으로 전개되므로 전문점으로 분류된다.

카테고리 킬러

우리나라는 지금 전문점 성장기에 와 있고, 카테고리 킬러는 초기 단계다. 예비창업자들은 카테고리 킬러 아이템을 눈여겨보

아주기 바란다. 앞서 얘기했듯이 일반점보다는 전문점이, 전문점보다는 카테고리 킬러 형태로 갈수록 상권이 넓어진다.

　강남에 있는 한 '신혼여행용품 전문점'은 특정 용도, 목적을 중심으로 아이템을 전개한다는 점에서 전형적인 카테고리 킬러 형태인데, 여기에는 강남권은 물론이고 강북, 심지어 경기도에서까지 고객이 몰려들어 즐거운 비명을 지르고 있다고 한다. 이 사업을 시작한 K 부인은 여행사에서 근무했는데, 추운 겨울에 샌들을 찾는 고객을 보고 힌트를 얻었다고 한다. 한국은 겨울이지만 동남아로 신혼여행을 가려면 샌들이 필요했던 것이다. 그래서 겨울에 여름상품 파는 곳으로 더 많이 알려졌다고 한다.

　카테고리 킬러 형태는 일단 성공만 하면 스스로가 체인 본부 역할을 할 수도 있어 처음부터 이를 염두에 두고 전개해나가는 것도 좋다. 앞에 지적한 강남의 신혼여행용품 전문점의 경우가 그러하다. 여기서는 다양한 아이템이 필요하기 때문에 상품 공급원이 따로 없다. 스스로 판단하여 남대문, 동대문 시장을 돌아다니면서 구입을 해와야 하는 경우가 많다. 따라서 장사가 잘 돼서 지점을 늘린다면 지점에 공급할 물량까지 확보를 해야 하고, 결국은 체인 본부의 역할을 하게 된다는 것이다.

실전을 위한 연습

생일용품 전문점

카테고리 킬러 아이템을 만들어보자. 우리나라에는 카테고리 킬러 형태의 생일용품 전문점이 없다. 기획만 잘 하면 훌륭한 아이템으로 태어날 수 있을 것이다. 개략적으로 함께 만들어보자. 아이템 탐색을 하기 전에 생일날에 어떤 선물을 주고받으며 무얼 하는가를 알아야 한다. 주먹구구식으로 접근하지 말고 과학적으로 접근해보자.

아이템 및 목표계층 범위 설정

10대부터 30~40대까지 선물을 주고받는 모든 계층으로 할 것인가, 아니면 가장 수요가 많은 10대 후반, 20대 중반까지로 한정할 것인가를 먼저 정해야 한다. 범위가 넓으면 아이템이 늘어나고 자본금도 많이 필요할 것이다. 머리로만 생각할 게 아니라 시장조사를 해보자. 초등학교 고학년인 10대부터 30~40대까지를 대상으로 설문조사를 한다.

생일용품에 관한 설문조사

(인사말)

1. 지난 번 생일에 누구로부터 어떤 선물을 받으셨습니까? 기억나는 대로 모두 기재해주시기 바랍니다.

     누구로부터 _____   무엇을? _____
     누구로부터 _____   무엇을? _____
     누구로부터 _____   무엇을? _____
     누구로부터 _____   무엇을? _____
     누구로부터 _____   무엇을? _____

2. 본인은 지난 1년 동안 누구에게 어떤 선물을 했습니까?

     누구에게 _____   무엇을? _____
     누구에게 _____   무엇을? _____
     누구에게 _____   무엇을? _____
     누구에게 _____   무엇을? _____
     누구에게 _____   무엇을? _____

3. 앞으로 생일선물로 가장 받고싶은 것은 무엇입니까?

4. 생일날에 한 일은 다음 중 어느 것입니까?

   ① 가족 외식

   ② 생일 파티

   ③ 나이트 클럽

   ④ 아무것도 하지 않았다

(2번 생일 파티를 선택한 경우)

4-1. 장소는 어디였습니까?

4-2. 모인 사람들은 어떤 사람들이었습니까? (모두 표시할 것)

   ① 가족　　② 친구　　③ 친지　　④ 연인　　⑤ 기타

〔자료분류용 질문〕 죄송하지만 자료 분류를 위해 몇 가지만 더 질문하겠습니다.

자료 1　성별 : 남·여

자료 2　연령 : _____ 세

자료 3　직업 : 1. 학생　　　　　　2. 회사원

              3. 자유/자영업　　4. 기타

본 내용은 더 좋은 상품 개발을 위해서만 사용하겠습니다.

감사합니다.

이 질문지를 가지고 최소한 100명 이상을 인터뷰해야 한다. 가능하면 전문가의 도움을 받아 SPSS 통계처리 프로그램으로 분석을 하는 게 좋다. 이를 분석하면 대략 다음과 같은 내용을 파악할 수 있다.

- 생일날 가장 많이 주고받는 선물은 어떤 순인가?
- 가장 받고 싶어하는 선물은 무엇인가?
- 성별, 연령별, 직업별로 주고받는 선물은 어떻게 다른가?
- 연인에게 가장 많이 선물하는 것은 무엇인가?
- 친구에게 가장 많이 선물하는 것은?
- 부모나 가족이 많이 하는 선물은?
- 특정 아이템은 어떤 계층에서 가장 많이 오가는가?
- 최근 들어 유행을 타기 시작한 선물 아이템은 무엇인가?

구체적인 분석 테이블은 다음과 같다.

가장 받고 싶어하는 선물

	A	B	C	D	E	F	G	H
성별								
남	○○	○○	○○	○○	○○	○○	○○	○○
여	○○	○○	○○	○○	○○	○○	○○	○○

연령별							
10대초	○○	○○	○○	○○	○○	○○	○○	○○
10대후	○○	○○	○○	○○	○○	○○	○○	○○
20대초	○○	○○	○○	○○	○○	○○	○○	○○
20대후	○○	○○	○○	○○	○○	○○	○○	○○
20대초	○○	○○	○○	○○	○○	○○	○○	○○
30대후	○○	○○	○○	○○	○○	○○	○○	○○
40대이상	○○	○○	○○	○○	○○	○○	○○	○○
직업별							
학생	○○	○○	○○	○○	○○	○○	○○	○○
회사원	○○	○○	○○	○○	○○	○○	○○	○○
자영업	○○	○○	○○	○○	○○	○○	○○	○○
주부	○○	○○	○○	○○	○○	○○	○○	○○
전체	○○	○○	○○	○○	○○	○○	○○	○○

이를 가지고 목표계층의 범위와 아이템을 구상해야 한다. 이런 류의 시장조사는 한 번만 하는 게 아니라, 가능하면 매년 한 번 정도는 실시하는 게 좋다. 그래야 시장의 흐름을 놓치지 않는다. 미국과 일본에서도 창업 성공률은 그리 높지 않으나 우리나라는 그보다 훨씬 낮다. 그 이유는 주먹구구식으로 대충대충 일을 벌이기 때문이다. 어떤 분야, 어떤 아이템을 선택하더라도 '꼭' 과학적인 조사를 해보기 바란다.

시장조사의 중요성

시장조사가 얼마나 중요한지 필자가 겪었던 사례 하나를 보자. 여러 해 전의 일이다. 지인 한 분이 대학로 뒤켠에 조그만 가게를 하나 얻어 무얼 할까 고민중이었다. 내심 호프집을 생각하고 있던 차였다. 대학로니까 젊은이들-호프집으로 연상했던 것이다. 그러나 뒤켠 후미진 곳이라 과연 손님이 들까 해서 망설이는 중이었다. 오랜만에 또는 연인들과 대학로에 나온 사람들이 조금 싸다고 해서 후미진 곳을 찾진 않을 것이기 때문이다.

필자는 간이 시장조사라도 해보자고 제의했다. 해보나마나라며 내키지 않아 하던 그도 결과를 보고는 입을 다물지 못했다. 조사 방법은 점심시간을 전후한 2~3시간 동안 대학로를 오가는 사람들에게 오늘 점심은 어디서 무얼 먹었느냐는 것이 요지였다. 그랬더니 대학로에는 우리가 상상하지 못했던 장년층이 아주 많았다. 대학로 하면 당연히 젊은이들만 있는 줄 알았다는 것이다. 그들은 서울의대 의사, 교수, 병원 사무직원, 건너편으로 방송통신대 교직원, 마로니에 공원 내에 있는 문예진흥원의 문인, 예술인, 직원이었다. 그런데 평소에는 이들이 왜 보이지 않았을까? 사정을 알고 봤더니, 젊은이들은 늘 움직이니 젊은이들만 보였던 것이고, 장년층은 점심시간에만 잠깐 밖으로 모습을 보인다는 거였다.

다시, 어디서 무얼 먹었느냐는 질문을 분석해봤더니 젊은이들은 대부분 대학로 안에서 해결하는 데 비해 장년층들은 종로나 원남동, 아니면 삼선교 방면으로 나가 무언가 국물이 있는 음식으로 식사를 하고 있었다. 이를 반대로 해석하자면 대학로 내에는 이들 원로들이 먹을 마땅한 음식점이 없다는 것이다. 결론적으로, 그는 대구탕과 해물탕으로 아이템을 잡았다. 낮에는 대구탕 위주의 점심, 밤에는 해물탕 위주의 술이었다. 그리하여 몇 년 동안 대학로에서 가장 잘 되는 음식점 중의 하나가 되었다. 이것이 시장조사를 꼭 해야 하는 이유인 것이다. 전문가의 도움이 필요하다면 필자에게 연락해주기 바란다.

브랜드 만들기

이렇게 정석대로 아이템을 기획했다고 해도 브랜드를 잘 만들지 못하면 의미가 없다. 뛰어난 기획력과 충분한 자금을 가진 후발이 추격해오면 기껏 닦아 놓은 시장을 내주고 만다. 이를 막는 방법이 강한 개성의 이미지와 브랜드를 만드는 것이다. 그리하여 한 분야를 대표하는 브랜드로 만들어야 한다. 그래서 대기업들은 몇 천 만원씩 주고 브랜드를 만드는 것이다.

브랜드를 무엇으로 할까? '생일용품 전문점.' 그래서는 6개월도 버티지 못한다. 브랜드가 너무 설명적이 되면 죽게 된다. 상징적이면서도 아이템의 의미가 스며들 수 있는 것이어야 한다. '원스 어 이어Once-a-Year' 정도면 어떨까? 1년에 한 번 뿐인 날, 바

로 생일이 아닌가 말이다. 브랜드 문제로 고민인 예비창업자도
필자에게 연락하기 바란다.

라이프 스타일 전문점

장기적인 비전으로 사업을 구상하는 사람이라면 라이프 스타
일 전문점을 연구하기 바란다. 우리나라에는 아직도 본격적인 라
이프 스타일 문화가 정착되지 않은 상태다. 미국의 경우는 대략
40여 가지로 라이프 스타일이 분류되고 있다. 우리나라는 겨우
성별, 연령대별, 직업별, 소득수준별로 개략적인 구분이 있을 뿐
이다. 기업이나 예비창업자들이 이를 선도할 수도 있을 것이다.
"이 상품이나 서비스는 이러이러한 계층만을 위한 것이다." 하는
식으로 말이다.

예를 들자면, IMF 직전 압구정동에는 오렌지족으로 불리는 젊
은 계층이 사회적인 화제가 된 적이 있었다. 하루 용돈으로 50만
원 이상을 쓴다는 이들은 아무리 고급이라 해도 자신들의 취향에
맞지 않으면 구입하지 않는다. 반대로 자신들의 취향에 맞고 소
속감을 고취시키는 것이라면 가격은 전혀 문제삼지 않는다. 따라
서 이들이 먹고 마시고, 입고, 구입하는 것들은 그들의 정서, 가
치를 반영하는 것이어야 한다는 것이다. 이런 계층들을 상대로
하는 아이템이 라이프 스타일 전문점이다. 이들에게 필요한 모든
것을 공급해주는 것이다.

라이프 스타일 전문점 중 가장 유명한 것은 할리 데이빗슨 Harley-Davidson이다. 할리 데이빗슨은 1903년에 설립된 미국의 오토바이 브랜드 이름으로, 세계적으로 광고와 품질이 가장 일치하는 상품으로도 유명하다. 할리 데이빗슨의 독특한 엔진 소리는 특허를 출원할 정도로 미국의 젊은이들을 매료시키고 있으며 이것을 타고 무한질주를 해보는 것이 미국 젊은이들의 꿈이기도 하다. 할리 데이빗슨 애호가들은 오토바이와 관련된 아이템은 물론 온몸에 할리 데이빗슨 문신을 새기고 자신들과 라이프 스타일을 같이하는 사람들만의 점포에서 상품을 구입한다. 이것이 라이프 스타일 전문점이다. 약 5년, 10년이면 우리나라에 등장할 것으로 보인다. 이런 라이프 스타일 전문점은 범위를 아주 좁혀야 한다. 범위를 좁히는 대신 상권을 넓혀가야 한다는 의미다. 할리 데이빗슨 전문점이라면 미국 전역에서 애호가들이 몰려든다고 한다.

라이프 스타일을 나누는 기준은 여러 가지다. 성, 연령, 소득 수준, 학력, 직업, 결혼상태(이혼, 사별, 재혼 등), 기호, 취미, 여가를 즐기는 형태 등의 기준에 따라 라이프 스타일이 나누어진다. 그 중 어느 한 라이프 스타일에 속하는 사람들을 위한 아이템이 라이프 스타일 전문점이다.

여가생활의 측면만 보자. 우리나라의 경우, 소득 수준이 1만 달러가 넘어서고 주5일 근무제가 정착되면 다양한 라이프 스타일이 등장할 것으로 전망된다. 시간이 남으면 여행, 레저, 스포츠,

건강, 이미용, 자기계발 등의 형태로 시간을 소비하게 된다. 주5일제가 정착되면 가구당 소비 지출이 20만 원 정도 늘어나게 된다고 한다. 전국으로 보면 40조 원이다. 주5일제의 영향을 한번 보자. 주5일 근무제가 정착되면 우선 시간 소비를 도와주는 아이템이 각광을 받게 된다. 남아도는 시간을 효율적으로 이용할 수 있게 해주는 아이템이다. 여행도 이전처럼 보고만 오는 여행이 아니라 직접 참여해보는 체험여행 형태가 자리하게 될 것이다. 일본의 경우 주5일제가 정착되면서 어린이들을 대상으로 하는 사찰 수련이나 직장인들을 위한 사찰 명상수련회, 오토 캠프, 직장 여성들을 상대로 하는 숙박상품들이 쏟아져 나왔다.

⚜ 여행

우선 다양한 여행상품들이 나타난다. 그러나 이것도 어느 정도 즐기고 나면 다른 사람이 일방적으로 설계해준 여행보다는 1박 2일 동안 가족이나 친구들과 함께 자신들이 스스로 기획하는 여행을 하고 싶어한다. 이것이 첫 번째로 나타날 수 있는 자동차 캠핑 라이프 스타일이다. 20~30대의 젊은이들이 주류를 이룰 것이다. 이들을 위해서는 자동차도 지금의 자동차로서는 충분하지 않다. 취사, 숙박에 필요한 장비들을 갖춘 캠핑 개념의 새로운 자동차가 필요하다.

우리나라 자동차 회사들이 이런 흐름에 충분히 대처하지 못하다 보니 이런 용도의 차들은 대부분 수입에 의존하고 있다. 외국에서 수입된 캠핑카들을 보면 4~8인승으로 조리대, 냉장고, 침대, 소파 심지어 화장실까지 갖추고 있는 것들도 있다. 가족이나 친구 단위의 일행들이 며칠 정도 레저여행을 하기에 안성맞춤이다. 그러나 개인들이 이를 구입하기에는 문제가 없지 않다. 가격이 비싸고 일상적으로 사용할 수 있는 것이 아니기 때문이다. 그러면 이런 차량을 렌트해주는 사업이 조만간 인기를 끌게 된다. 2~3년 후 정도가 아닌가 생각된다. 캠핑용 자동차뿐만 아니라 이런 여행에 필요한 장비 일체를 빌려주는 방식으로 접근하는 것이 좋을 것이다.

또 유럽형 소규모 별장인 펜션pension이 유행하게 된다. 유럽을 여행하다 보면 산자락이나 강변에 모여 있는 고급 민박이다. 우리나라의 경우 몇 년 전부터 펜션 붐이 부쩍 일고 있다. 자연경관 수려한 곳에 땅이나 전원주택을 소유하고 있는 사람이라면 이에 관심을 가져보는 것도 좋을 것이다.

자기관리

시간이 남으면 평소 게을리하던 자기관리에도 신경을 쓰게 된다. 건강과 미용이 우선이다. 여성들이라면 특히 미용에 신경을 쓴다. 몇 시간씩 서비스를 받을 수 있는 전문 피부관리나 네일아트, 핸드 마사지, 발관리 등 여성의 건강과 미용 아이템들이 새록새록 시장을 키워가고 있다. 이러한 서비스를 이용하는 사람들을 위한 전문 화장품도 활성화될 전망이다. 최근에는 네일아트뿐 아니라 '헤나'라고 불리는 바디 물들이기도 등장하고 있다. 여체의 신체 곡선을 살려주고 아름다움을 더해주는 일종의 건강 바디 페인팅이다. 이의 원료는 헤나라고 불리는 식물의 추출물이다. 시집갈 때 헤나로 몸을 물들이면 건강과 행복을 가져다준다는 고대 인도, 북아프리카(이집트) 등의 결혼 풍습에서 유래되었다. 최근에 등장하는 헤나는 디자인도 꽃모양, 천체, 페이즐리, 기하학 무늬 등으로 다양화되고 있다. 이를 멀리서 보면 마치 아름다운 수영복을 입은 모습 정도로 보인다. 인체에 무해하다. 이 또한 머지않아 유행 아이템으로 자리할 것으로 보인다. 이 밖에도 집을 비우는 사람들을 위해 빈 집을 지키거나 애완동물을 돌봐주는 등 각종 대행업, 남는 시간 동안 자기계발을 위한 어학 등의 아이템들이 상당한 규모의 시장으로 자리할 전망이다.

복합점의 등장

복합점은 시너지 효과를 낼 수 있다는 점에서 불황기에 유리한 아이템이다. 예를 들면 비디오, CD 등 영상물, 게임, 애니메이션, 음반, 서적 등 성격이 비슷하거나 소비자 계층이 동일한 아이템을 대형 매장에서 모두 취급하는 방식이다. 미국과 일본에서는 오래 전부터 자리잡은 일종의 복합 문화상품점Culture Multi

Package Store이다. 이렇게 할 경우 시너지 효과를 낼 수 있음은 물론이고 고객들도 한 매장에서 자신들이 원하는 모든 것을 원스톱 쇼핑할 수 있어 훨씬 편리하다. 최근에 등장한 이 아이템은 앞으로 상당한 성장이 예상되는 아이템 중 하나다.

외국의 드럭스토어drugstore 같은 구색의 복합점도 최근 우리나라에 등장했다. 드럭스토어 하면 약국을 의미하는 단어지만 전문적인 의약품을 팔지는 않는다. 여기서는 일반 의약품과 화장품, 건강식품, 생활용품 등 넓은 의미의 생활, 건강관련 상품을 취급한다. 약사는 물론 뷰티 컨설턴트까지 대기하고 있어 혈압이나 체지방 등 간단한 검진도 할 수 있고 건강과 피부미용 상담도 받을 수 있다. 일종의 복합 생활·건강 전문점이다. 우리나라에 등장한 올리브영의 경우 "Health & Beauty Care"를 포지셔닝으로 하고 있다. 이의 빠른 성장이 예상된다.

복합전문점의 접근 방법은 종류나 성격이 유사한 아이템이나 고객층이 유사한 아이템으로 묶어 한 매장에서 이를 모두 취급하는 방식이다. 예를 들어 여성들이 즐겨 찾는 분위기 좋은 고급 커피점이라면 에스프레소 커피 외에도 베이커리, 허브, 다이어트 식품 등을 함께 취급하는 것이다. 또 기존의 비디오 대여점을 업그레이드시켜 아동용 비디오와 아동용 도서를 함께 취급하는 등의 방법이 있다. 이처럼 소매점은 당분간 소형화, 전문화와 대형화, 복합화의 길을 동시에 걸을 것으로 전망된다.

4. 아웃소싱 아이템

개요

사회가 전문화되면서 가장 떠오르는 창업 아이템이 아웃소싱 분야다. 아웃소싱outsourcing이란 기업 내부에서 할 일의 일부를 외부 전문가에게 맡기는 것이다. 넓은 의미의 아웃소싱에는 외주, 하청, 업무대행, 컨설팅, 인재파견 등이 포함되지만 좁은 의미로는 외부의 전문적인 경영자원을 활용하는 것이다.

아웃소싱은 사회가 발달하면 서서히 분업이 진행되는 것과 마찬가지 이론이다. 고기 잡는 어부라면 배를 만들고, 그물을 만들고, 고기를 잡는 모든 것을 혼자서 할 수는 없을 것이다. 그럴 때 여러 어부들을 위해 배를 만들어주는 사람, 그물을 짜주는 사람들이 나타난다. 이것이 아웃소싱의 원시적인 개념이다.

아웃소싱은 전문화의 산물이다. 사회가 전문화되면서 기업경영에도 전문적인 지식이 필요하게 되었다. 광고나 시장조사, 데이터베이스 구축 등 전문적인 분야의 일은 조직 내부에서 할 수 없기에 외부 전문가의 도움을 받아야 한다는 것이다. 이것이 좁은 의미의 아웃소싱이다.

아웃소싱은 또 수평적인 사고의 산물이다. 수직적인 사고에 의하면 기업활동에 필요한 모든 것은 내부에서 조달하는 것이 원칙이었다. 외부에서 조달하는 것은 원자재 등 극히 일부에 국한되었다. 서울에 본사를 두고 있는 A, B 두 기업이 부산에 공장을 두고 있다고 가정해보자. 이들은 매일 서울-부산을 오가며 물건을 실어 나른다. 화물을 가득 싣고 오갈 때도 있지만 절반만 채운 채로 오가는 경우도 많다. 이 두 기업이 협조체제를 구축하면 물류비용을 훨씬 줄일 수 있지만 수직적인 사고에서는 그것이 불가능하다. 그러나 이렇게 생각해보자. 서울-부산을 오가며 화물운송을 전문적으로 대행해주는 화물회사가 있다면 A, B는 이들에게 운송을 맡기는 것이 훨씬 효율적이라는 것이다. 이것이 넓은 의미의 아웃소싱이다. 아웃소싱을 좀더 확장하면 전략적 제휴가 된다.

전문가들에 의하면 앞으로 기업 경영에 필요한 전문 분야는 물론 인사, 총무 등의 관리업무 등 비핵심 분야의 업무도 대부분 아웃소싱에 의존할 날이 멀지 않다는 의견이다. 창업을 준비하는 사람들로서는 좋은 기회인 셈이다. 자신이 사회에서 닦은 어느 한 분야의 노하우를 외부에서 공급해주는 새로운 창업의 기회가 열려 있기 때문이다. 앞으로 수년 이내에 가장 큰 시장으로 부상할 아이템이 바로 아웃소싱이다.

아웃소싱이 활성화될 수 있는 분야

앞에서 잠시 짚어본 것처럼 아웃소싱이 가능한 분야는 우선 전문 분야다. 그 다음으로는 외부에 맡기는 것이 좀더 효율적인 일반적인 관리 분야다. 다음으로는 비정기적으로 일어나는 일이다. 비정기적으로 일어나는 일은 담당자를 두는 것보다는 외부에 맡기는 것이 역시 원가를 절감하는 방법이기 때문이다. 마지막으로 3D업종에 가까운 분야다.

경영정보

재무분석, 투자상담, 정보처리, 데이터베이스 구축 등이 아웃소싱할 수 있는 분야다.

영업·마케팅

광고나 시장조사 등은 가장 먼저 아웃소싱된 아이템 중 하나다.

총무 기능

회사의 일반적인 관리업무와 회계, 사원들의 복리후생, 급식, 기숙사 관리 등의 관리업무를 담당하는 것이 총무의 기능이다. 이들 업무 대부분이 아웃소싱 가능한 아이템들이다. 회계 관리를 위해 여러 명의 직원들이 매달리는 것보다는 외부에 맡기면 전문화된 전산 프로그램과 훨씬 저렴한 비용으로 더 나은 관리를 할수 있다는 것이다. 우리나라 유수의 기업 중에도 총무 기능을 밖에서 조달하는 곳이 많다.

인사 기능

직원의 채용, 교육, 훈련, 급여 등의 업무를 밖에서 대행해주는 아이템이다. 인재개발, 연수, 교육, 인재파견 등도 아웃소싱 아이템이다.

기타

외국의 경우를 보면 앞으로 핵심적인 분야가 아닌 대부분의 업무는 아웃소싱 형태로 운영될 전망이다. 세계적인 스포츠용품 회사 나이키를 보자. 나이키는 세계에서 가장 브랜드 가치가 높은 기업이지만 세계 어느 곳에도 자체 공장이 없다. 모두 외부에서 상품을 조달하는 시스템이다. 첨단기술 분야 등 기술을 노출시켜서는 안 되는 몇 가지를 제외하고는 생산도 외부에서 조달하는 것이 훨씬 효율적일 수 있다. 이처럼 생산, 유통, 영업, 마케팅도 아웃소싱에 의존할 날이 그리 멀지 않았다.

우리나라의 경우, 아웃소싱을 가장 많이 이용하는 분야는 재무, 회계 분야며 인사, 물류, 정보시스템, 제조, 마케팅 순으로 나타나고 있다. 아웃소싱을 의뢰하는 쪽에서는 인재 부족의 원인이 가장 많이 지적되었고, 핵심업무 집중을 위해서, 경비절감 등의 이유에서 아웃소싱을 의뢰하는 것으로 나타나고 있다. 어느 분야든 사회에서 노하우를 쌓았다면 도전해볼 만한 분야다.

매트릭스 기법

아웃소싱이 가장 발달한 분야 중의 하나가 출판 계통인데, 아주 옛날에는 출판사마다 자체적으로 인쇄소를 가지고 있었다. 그러나 요즘 인쇄소를 소유하고 있는 출판사는 거의, 아니 전혀 없다. 인쇄는 물론 책을 만들어 유통되기까지 거의 모든 업무가 외부에서 조달된다. 원고는 외부 필자가, 편집은 편집 대행사에, 인쇄는 인쇄소에, 제본은 제본소에, 심지어는 유통이나 수금까지도 대행해주는 곳이 있다. 그래서 원맨 출판사도 가능하다. 외부에서 조달하는 게 더 효과적이거나 효율적인 모든 것은 아웃소싱 아이템이 될 수 있다고 보면 된다.

아웃소싱 아이템을 찾는 효과적인 방법의 하나로 매트릭스 matrix 기법을 보자. 앞서의 출판사라면 A, B, C, D, E 등 여러 출판사를 가로로 나열한다. 그리고 세로로는 이들 출판사가 하고 있는 업무를 구체적으로 나열한다. 출판사마다 업무가 조금씩 다를 것이기 때문이다. 그러면 다음과 같은 매트릭스가 된다.

출판사별 업무 내용

	A	B	C	D	E	F	G	H
출판기획	○	○	○	○	○	○	○	○
원고작성	○	○	○	○	○	○	○	○
편집교정	○	○	○	○	○	○	○	○
표지디자인	○	○	○	○	○	○	○	○
필름출력	○	○	○	○	○	○	○	○
인쇄	○	○	○	○	○	○	○	○
제본	○	○	○	○	○	○	○	○
도서배본	○	○	○	○	○	○	○	○
신간도서 홍보	○	○	○	○	○	○	○	○

위 기능을 모두 갖추고 있는 경우도 있고 일부만 갖춘 경우도 있다. 이중에서 아웃소싱이 가능한 분야를 찾는다. 아웃소싱이 가능한 분야는 대략 다음과 같은 특성을 가지는 경우다.

전문적인 분야

전문적인 분야여서 내부에서 할 수 없거나 할 수 있어도 외부에서 조달하는 것이 효과적인 분야가 아웃소싱의 기회가 많다.

일반 기업체라면 시장조사나 회계분석, 교육, 훈련 등을 아웃소싱할 수 있다. 이를 협의의 아웃소싱이라 한다.

원가절감이 되는 경우

일반적인 업무라도 내부에서 하는 것보다 외부에 맡기는 것이 원가절감에 도움이 되는 분야로 물류 등이 여기에 해당된다.

비정기적인 업무

정기적으로 발생하는 업무에 대해서는 대부분 담당자가 있어 아웃소싱의 기회가 많지 않다. 비정기적으로 발생하는 업무의 경우는 담당자를 두기에는 좀 애매하고, 업무를 안 할 수는 없고 해서 외부의 도움을 청하게 된다.

3D업무

정기적으로 발생하는 일이라도 3D에 가까운 업무는 점차 외부에 맡기는 흐름이다. 빌딩 청소나 경비업무 같은 경우가 여기에 해당된다.

전문적인 분야를 보자. 출판기획은 전문적인 분야로 보아야 한다. 이는 중요한 업무이기 때문에 출판사 자체적으로 하는 경우가 많으나 좀더 전문적이기 위해서 외부 기획 전문가의 도움을 받을 수 있다. 우리나라에서 어학 분야의 베스트셀러를 전문적으로 기획하는 출판기획자의 몸값은 몇 억원대라고 한다. 그 기획자는 별도의 사무실을 두고서 여러 출판사의 기획 업무를 아웃소싱하는 것이다. 원고 작성이나 표지디자인 분야도 전문적인 분야다. 대부분의 출판사들은 원고 작성이나 표지디자인을 위해 외부 전문가들의 도움을 받는다. 이것 역시 아웃소싱 아이템이 된다. 필름 출력이나 인쇄, 제본 등은 외부 조달이 훨씬 저렴하기 때문에 아웃소싱 아이템이 된다. 이들은 광의의 아웃소싱 아이템이다. 어느 한 업종을 이런 식으로 분석해보면 어렵지 않게 아이템을 찾을 수 있을 것이다.

조금 여담이지만 요즘 농촌에서도 아웃소싱이 활발하게 진행되고 있다. 농사를 짓기 위해서는 벼농사의 경우 못자리, 모내기, 벼베기 등 단계마다 많은 일손이 필요한데, 이런 일들은 요즘은 거의 농기계가 대신한다. 소에게 멍에를 씌워 하루 종일 하던 써레질, 줄맞추어 심던 모내기, 하루 종일 엎드려 하던 벼베기 등을 기계가 하면 한두 시간이면 끝낸다. 그러나 한 대에 몇 천만 원씩 하는 농기계를 농가마다 갖출 수가 없기에 이런 기계를 갖추고서 여러 농가의 농사일을 대신해주는 것이다. 이것도 일종의 아웃소싱이다.

5. 매칭 아이템

매칭matching 아이템은 수요자와 공급자를 적절히 연결해주는 시스템이다. 결혼 중매회사들이나 부동산 중개 등이 대표적인 사례일 것이다. 이들은 개인과 개인을 연결해준다는 점에서 CtoC 모델에 해당된다. 기업과 기업 간의 기술이전이나 정보 등을 중개해주는 경우에는 BtoB 모델이 될 것이다. 대학 연구소나 기업을 연결해주는 시스템도 있다. 독일 대학 연구소의 정보를 우리나라 기업으로 연결시켜주는 아이템도 있다.

장사란 상품을 판매하는 행위라는 고정관념을 접어야 한다. 그래야 큰 장사를 할 수 있다. 상품이든 서비스든 그 무엇이든 필요로 하는 사람이 있어 이를 만족시켜주는 것이면 모두 비즈니스가 된다. 보이는 상품보다 보이지 않는 서비스가 훨씬 더 큰 시장이다. 사람들이 필요로 하는 모든 것은 수요需要이며, 이를 충족시키는 시스템만 갖추면 비즈니스가 된다는 것이다.

매칭 아이템의 이론적 근거는 이러하다. 불특정 다수의 집단이 있다고 하자. 이들을 어떤 기준으로 나누느냐에 따라서는 잠재적인 수요자와 잠재적인 공급자 집단으로 나눌 수 있다는 것이다. 결혼 적령기를 맞아 남자를 찾는 여자와, 여자를 찾는 남자를 연결시키면 중매가 되고, 정보를 가진 자와 정보를 필요로 하는 사람을 연결시키면 정보 매칭형 비즈니스가 된다.

그러나 수요자와 공급자가 현저하게 드러나 있는 경우도 있는 반면, 어느 한 쪽만 드러나 있고 다른 한 쪽이 잠재되어 있는 경우, 아니면 양편 모두가 잠재적으로 숨어 있는 경우가 대부분이다. 이들 잠재적인 수요와 공급을 찾아내어 현실적인 수요자와 공급자로 다듬어 매칭시켜주는 것이 이 비즈니스의 핵심이다.

한때 체험여행의 사례로 떠올랐던 P씨(여)의 매칭 비즈니스를 보자. P씨는 여행사에 근무하고 있었다. 어느 날 한 외국인에게서 자국어(영어)를 할 줄 아는 한국 사람과 함께 며칠 동안 한국의 역사, 문화적인 현장을 돌아볼 수 없느냐는 질문을 받았다고 한다. 예를 들어 인류학을 연구하는 교수라면 그는 우리나라 농촌 마을에서 며칠을 머물며 많은 것을 보고 싶어할 것이다. 그러나 이러한 경우는 관광 안내의 범위를 벗어나는 것이어서 기존 시스템으로는 수요를 충족시킬 수 없다. 강화도에 며칠 묵으면서 강화도 역사에 대해 이야기도 하고 토론도 할 수 있는, 영어에 능한 한국인의 안내를 원하는 경우에는 수요자는 명백하지만 어쩌다 있는 이런 수요에 대비하고 있는 공급자는 없더라는 것이다. 궁리 끝에 그는 영어 잘하는 대학생이라면 가능할 것 같다는 생각을 하게 되었다. 그런 대학생이라면 자신의 영어 실력을 시험도 할 겸 관광지에서 외국인과 며칠 지내는 것을 굳이 마다하지 않을 것이기 때문이었다. 그는 대학생들을 외국어별로 선발한 다음 여러 여행사, 항공사, 호텔 등에 이런 특이한 관광을 원하는 외국인이 있으면 연락해달라고 홍보했다. 그렇게 하여 출발한 여행 아이템이 천하장군 브레인 스위치였다. 이것을 인터넷으로 연결해 놓으면 인터넷 체험여행사가 되는 것이다.

강화도뿐 아니라 외국인이 많이 찾는 인사동이나 하회마을 등 우리나라의 전통적인 것에 관심이 많은 외국인들이라면 틀에 박힌 관광 가이드나 현장의 외국어 안내문만으로는 만족할 수 없을 것이다. 이런 것들을 상품화하는 것이다. 이것이 매칭 비즈니스다.

결혼 중매나 부동산처럼 수요와 공급이 현재화顯在化되어 있는 경우에는 이를 연결만 해주면 비즈니스가 성립된다. 그러나 이런 분야의 일들은 이미 누군가 벌써 하고 있는 경우가 대부분이다. 실제로 시장성이 있는 사업 아이템이 되기 위해서는 수요, 공급 모두 잠재적인 경우가 가장 좋다. 그래야 성공적인 아이템으로 선두 자리를 차지할 수 있기 때문이다. 잠재적인 수요자와 잠재적인 공급자를 이끌어내어 이들을 연결시켜주는 것이다.

⚜ 바터 비즈니스

근래 나타난 매칭 비즈니스 중에 가장 성공적인 것이 물물교환, 곧 바터barter 시스템이다. 물물교환은 가장 원시적인 교환 형태였다. 자신이 잡은 물고기를 나누어주는 대신 다른 사람이 딴 과일을 나누어 가지는 형태였다. 화폐의 등장으로 물물교환 형태의 거래가 완전히 사라지는가 했더니 인터넷 시대를 맞아 다시 살아나고 있다. 인터넷이 고대의 상거래 관습을 되살려내고 있는 것이다.

화폐경제가 가장 발달한 미국에서 물물거래가 가장 활발한 것도 아이러니다. 미국에서는 1980년대부터 물물교환이 활성화되었다. 그러나 이때는 주로 BtoB 형태였다. 즉 반도체칩이 남아도는 기업과 철강이 남아도는 기업간에 자연스러운 거래가 이루어질 수 있었던 것이다. 그러나 이러한 거래에는 일반인들이 끼여들 공간이 없다. 이것이 인터넷의 등장으로 일반인들 사이의 거래로 확산되기 시작했다. 이것이 가능한 이유는, 인터넷이라는 가상의 공간은 시간에 구애됨이 없이 많은 사람들이 자신에게 필요한 물건, 자신에게 필요치 않은 물건을 올려 한눈에 비교할 수 있기 때문이다. 예를 들면 필요 없어진 카메라 대신 망원경을 갖고 싶은 사람과 망원경 대신 카메라를 갖기 원하는 사람이 서로의 정보를 올린다면 조건별 검색이 가능하기 때문에 매칭이 이루어지는 것이다. 미국의 바터 시장은 우리 돈으로 2조 원을 넘어서고 있는 것으로 알려지고 있다.

우리나라의 경우 지난 2년여 사이에 인터넷 기반의 바터 사이트가 여러 개 탄생하였다. 대부분 미국의 모델을 모방한 것들로, 교환이 이루어지는 물건들을 보면 컴퓨터, 헬스기구, 건강식품, 의료보조기, 패션, 잡화 등 거의 모든 실물 상품들을 망라하고 있다. 최근에는 무형의 상품이나 서비스 상품들도 교환 사이트에 많이 등장하고 있다. 항공 티켓이나 여행상품, 레저, 레스토랑이나 베이커리 이용권, 각종 회원권, 부동산, 주식 등으로 확산되고 있다. 이는 CtoC 모델이다.

교환이 아니라는 점에서 이와는 조금 다르지만 최근에는 기업의 남아도는 재고품을 일반인들을 상대로 중개해주는 곳도 생겨나고 있다. 철 지난 에어컨이라면 재고로 안고 다음 계절을 기다리는 것보다는 이런 거래를 통해 현금화하는 것이 훨씬 유리할 것이기 때문이다. 기업의 재고상품뿐 아니라 서비스 아이템도 여기에 등장하고 있다. 항공 티켓이나 비수기 호텔의 빈 방 등을 대상으로 하는 일종의 BtoC 형태의 거래인 것이다. 항공 티켓과 호텔 빈 방을 패키지로 연결시키는 것도 좋은 아이디어일 것이다. 이를 잘만 이용하면 저렴한 가격으로 여행을 즐길 수 있다.

중고물품의 바터 비즈니스는 잠재력이 매우 큰 시장이다. 예비 창업자들이 꼼꼼히 살펴볼 필요가 있을 것이다. 자신이 관심을 가지고 보는 분야에 이미 다른 사람이 참여하고 있다고 해서 실망할 일은 아니다. 거래 형태를 조금만 달리하고 특색 있게 꾸며 나간다면 개척할 수 있는 시장으로 보인다. 예를 들면 CtoC처럼 맞교환에만 신경을 쓸 게 아니라 필요없다고 내놓는 물건은 20% 가격에 구입하고 50%의 가격으로 판매하는 등 새로운 모델을 개발하면 신규 참여의 가능성이 얼마든지 있을 것이기 때문이다. 문제는 중고품, 남이 사용하던 물건을 기피하는 우리나라 사람들의 국민성이다. 미국과 일본에서는 사용 기간이 짧은 유아용품이나 장난감 등이 주요 아이템이지만, 우리나라의 경우에는 귀여운 자녀에게 남이 쓰던 물건을 주려 하지 않는다. 이것만 극복한다면 큰 시장으로 형성될 수 있을 것으로 생각된다. 그 방법이 무얼까? 인기 연예인들이 사용하던 물건이라면 중고품도 문제없을 것이다. 관심 있는 분들의 깊은 연구를 바란다.

전략적 바터

이 글을 쓰고 있는 동안에 읽은 미국의 전략적 바터 구상 이야기 하나를 전한다. 북한 핵 문제로 미국의 고민이 이만저만이 아니다. 이를 해결하기 위한 방법론의 하나로서 등장한 것이 바로 전략적 바터다. 무엇인가 하면, 북한이 핵을 포기하도록 평화적인 방법으로 압력을 넣을 수 있는 나라는 중국뿐이다. 중국에서 원유 공급만 중단해도 북한은 손을 들 수밖에 없다. 반면 중국이 가장 무서워하는 것은 일본과 대만의 핵무장이다. 특히 대만의 핵무장이다. 이것을 서로 교환하자는 것이다. 중국이 북한으로 하여금 핵을 포기하도록 압력이나 설득을 해준다면 미국도 일본, 대만의 핵무장 저지를 보장하겠다는 것이다. 만약 중국이 나서지 않겠다면 미국은 적극적으로 일본, 대만은 물론 한국의 핵무장도 지원하겠다고 위협한다는 구상이다. 이것이 전략적 바터다.

6. 3D 아이템

사실 소자본으로 가장 쉽게 창업할 수 있는 분야가 3D업종이다. 직설적으로 표현하자면 큰 자본 없고, 아이디어나 전문지식 없는 사람이 할 수 있는 분야가 그리 많겠는가. 산업 현장에서는 일할 사람이 모자라고 젊은이들은 일자리가 없다고 아우성인 나라가 우리나라다. 3D를 기피하는 우리의 국민성은 꼭 고쳐야 할 부분이다. 강남이나 여의도의 초일류 빌딩들의 청소도 이제 대부분 외국 청소전문 회사들이 맡고 있는 현실이다. 하지만 청소까지 남의 힘을 빌릴 정도로 잘 사는 나라가 아닌 것이다.

미국의 경우에는 유망 창업 아이템 랭킹 10위권에 청소 등 3D 업종에 속하는 아이템이 3~4개 오를 정도다. 자니킹Jani-King, 캐피털, 서비스 마스터Service Master 등인데, 자니킹의 경우 전 세계적으로 8000여 개의 가맹점을 거느리며 미국 500대 프랜차이즈 기업 중 랭킹 7위를 차지할 정도로 성장한 다국적기업이다. 우리나라에도 상륙했다. 이 회사의 성장 요인은 초창기 잠재력이 큰 청소 시장에 뛰어들었다는 것 말고도 철저한 서비스에 있다. 이들은 서비스 상태를 본사에서 직접 나가 지휘하고 확인하는 시스템으로 운영하고 있다고 한다. 일종의 직영 서비스 체제다. 가맹점은 고객관리와 운영만 하면 된다.

캐피털 사는 건물청소 전문이다. 카펫, 바닥, 벽, 창문, 천장 등

건물 청소를 전문으로 대행해주는 곳이다. 서비스 마스터는 건물과 가정집 청소 전문이다. 이외에 가구, 전기, 수도, 난방, 배관, 잔디, 조경까지 관리해준다.

IMF를 기점으로 우리나라에도 본격적인 3D업종의 서비스 사업이 등장했다. 빌딩이나 사무실 청소 용역은 이전부터 있었지만 청소 중에서도 간판 청소, 닥트(환기구) 청소, 외벽 청소 등의 세분화된 서비스가 나타났다. 초창기에 간판 청소를 시작한 어느 인사의 말을 빌면, 간판 한 번 닦는 데 3만 원 정도로 하여 전국의 간판 수를 곱하니 그 시장이 거의 무한대가 되더라는 것이다. 그 시장이 지금까지 버려져 있었다는 의미다. 3D업종 분야에는 이처럼 버려진 시장이 여전히 많이 남아 있다. 요즘에는 화장실 청소, 침대 청소, 블라인드 청소, 구두 세탁, 운동화 세탁, 음식점 불판 청소, 물수건 세탁, 집안 소독, 정원수 소독, 애완동물 목욕업, 애완동물 장례업 등으로 분야가 세분되고 있다.

이 업종에 접근하는 방식은, 3D일수록 청결하고 현대적이어야 한다는 점이다. 허드렛일을 대행해준다는 정도의 사고방식으로는 성공할 수 없다. 70년대에 이삿짐을 날라주던 용달차와 요즘의 포장이사만큼이나 차이가 난다. 쓸어주고 닦아주는 정도의 개념으로는 안 되고, 각종 첨단장비와 전문화된 서비스로 청소는 물론 방역, 항균, 코팅 등 환경적인 컨셉으로 접근해야만 한다. 앞으로 큰 시장으로 성장할 것이 틀림없다.

7. 틈새시장을 노려라

소자본 창업자들은 틈새시장niche market을 노려야 한다. 그중에서도 마이크로 니치 마켓micro niche market을 노려야 한다. 틈새시장은 기존의 아이템을 좀더 전문화하여 목표 시장을 좁히는 경우와 남들이 버린 자투리 시장 두 가지 경우가 있다. 연예인들이 신는 흰 구두와 노란색 구두를 만든다면 좀더 전문화한 경우며, 국배달 사업을 한다거나 운동화 세탁소를 차린다면 남들이 버린 자투리 시장일 것이다. 소자본 창업자들이 이를 노려야 하는 이유는, 이 시장은 성공만 하면 큰 시장이 될 수 있는 가능성을 안고 있다는 것이며, 또 다른 이유로는 실패해도 큰 손해를 보지 않는다는 점이다. 그리고 틈새시장은 어디든 있는 법이다.

⚜ 전문화된 틈새시장―건강구두점

발은 심장과 직결되는 곳으로 발의 건강이 곧 우리 몸의 건강과 직결된다. 발마사지 같은 경우도 이의 중요성을 반영하는 아이템이다. 발, 발목, 다리는 물론 허리, 무릎, 어깨, 목 등의 통증이나 결림 현상은 대부분 구두(신발)와 잘못된 걷기 습관 때문이라고 한다. 최근 일본에서는 건강슈즈 전문점이 인기라고 한다. 발이 약한 사람, 부상 등으로 장애가 있는 사람, 나이 들어 발목이 약해진 사람들을 대상으로 가게를 열었는데, 의외로 젊은이들이 몰려와서 건강슈즈는 이제 하나의 패션이 되어가고 있다는 소식이다. 이 구두의 특징은 굽이 없으며 구두를 신었을 때도 맨발과 같은 느낌이라고 한다. 굽이 없기에 발의 특정 부위에 무리한 힘이 가해지지 않으며 바닥은 코르크를 사용하여 시멘트 바닥을 걸을 때도 쿠션감을 느낄 수 있다고 한다. 이 건강슈즈는 모두 독일 슈마이스터의 수입품이라고 한다. 구두에 관한 한 세계 제일의 노하우를 가진 나라가 독일인데, 구두의 장인을 의미하는 슈마이스터는 무려 200년이 넘는 전통을 자랑한다. 우리나라의 경우 발의 중요성에 대한 인식은 널리 확산된 것 같다. 발관리 전문점이 도심에 늘어나는 것을 보면 이런 유형의 비즈니스가 머지않아 자리할 것으로 전망된다. 이런 것이 전문화된 틈새 아이템이다.

⚜ 자투리 아이템

자투리 아이템은 그야말로 남들이 시시하다고 관심 쓰지 않는 분야다. 초창기의 3D 아이템 대부분이 여기에 속한다고 보면 된다. 그러나 이제는 기업 규모로 일어선 3D 아이템도 많기에 한 번 더 틈새를 찾아야 자투리 아이템이 된다. 3D 분야라면 최근에 등장한 아기 기저귀 대여 및 세탁업 정도일 것이다. 아기에게 천으로 된 기저귀를 채우는 것이 건강에 좋다는 것은 알고 있으나 그 처리가 곤란해서 일회용 기저귀를 채우는 엄마들이 대부분이다. 여기서 착안한 것이 기저귀를 대여해주고, 세탁해주는 아이템이다. 이런 것이 3D 중의 틈새 아이템이다.

3D 외에도 많다. 청바지 가게들이 늘어선 골목에서 재봉틀 한 대로 청바지를 수선해주는 아이템이다. 이것도 잘만 하면 짭짤한 아이템으로 키워낼 수 있다. 신촌 이화여대 부근의 헌옷 수선집들은 패션 감각까지 겸비하여, 유행 지난 옷, 체중이 불어나 입을 수 없는 아까운 옷, 물려받은 옷 등을 최신 아이템으로 고쳐주는데, 장사가 잘 된다고 한다.

역시 신촌 얘긴데, 서서갈비라는 갈빗집이 있다. 드럼통 숯불 위 석쇠에 갈비를 구워 술 한잔하는 집이다. 재미있는 것은, 이웃의 갈빗집들은 밤이 되어야 서서히 기지개를 켜는 데 비해 이 집은 낮부터 손님이 몰린다. 부근 공사판에서 일하던 인부들도 갈비에다 술 한잔씩 하고 가고, 혼자서 지나가던 사람도 한잔씩 하고 간다. 밤이면 들어설 자리도 없다. 이런 것이 자투리 아이템이다. 왜 그럴까? 접근의 편의성, 간편성 때문이다. 낮부터 갈빗집에서 혼자 술을 마실 수는 없지만 여기에서는 그런 부담이 없다는 것이다.

연인들이 많이 모이는 서울 근교 데이트 코스에는 커플 호두를 파는 젊은이들이 있다. 호두 두 개에 1000원이다. 물을 들이고, 그 위에 예쁜 그림과 사랑의 금언 같은 글귀를 적어 넣은 호두로, 갖고 싶은 욕심이 날 정도로 예쁘다. 그게 두 개에 1000원이다.

호두 원가가 얼마냐고 슬쩍 물어보았더니 한 되에 2000원이라고 했다. 한 되에 적어도 50개 정도는 되어 보였으니 20배가 넘는 장사다. 이런 것들이 자투리 아이템이다.

그 자투리 장사를 해서 언제 돈을 버느냐고? 일본에서는 이런 류의 자투리 장사만으로 기업 규모가 된 사례가 있다. 자투리 장사를 시작해서 궤도에 오르면 사람을 고용해서 그에게 맡기고 자신은 또 다른 자투리 장사를 시작하는 것이다. 이렇게 해서 20여 개를 거느리는 기업 규모로 성장했다는 소식이다. 하나 더하기 하나는 둘이 된다.

하이드로컬처

수경재배는 오래 전부터 있었지만 최근 하이드로컬처 Hydro Culture라는 새로운 기법의 수경재배 방식을 도입하여 키트kit를 만들어 수출까지 하는 아이디어맨이 나타났다. 주로 실내장식용으로 이용되는 수경재배 세트인 셈이다. 하이드로컬처는 점토와 흙을 고온에서 소성발포시킨 것으로 식물의 뿌리를 감싸주는 대용 흙인 셈이다. 그러나 불에 구운 것이기 때문에 물에 풀리지 않으며 고온에서 발포한 것이기 때문에 보수성과 통관성이 뛰어나 식물의 뿌리에 적당량의 수분과 산소를 공급해준다. 가벼워서 물에 뜬다. 여기에 식물의 뿌리를 안착시켜 물 담긴 화분에 넣어 두기만 하면 식물이 자라나는 방식이다. 교육용, 실내

장식용 등으로 국내는 물론 해외로도 수출한다고 한다. 이런 것
이 틈새 아이템이다.

8. 미국과 일본의 뉴비즈니스

미국과 일본에서 유행하는 아이템은 대부분 3~5년 정도의 시차
를 두고 우리나라에 들어온다. 예비창업자라면 미·일의 트렌드
를 관심있게 보아야 할 것이다. 미·일의 유행 아이템들을 개략적
으로 살펴보자.

건강

미·일의 스트레스 해소방은 우리나라에도 들어왔지만 두뇌 헬
스는 아직 본격화되지 않은 듯하다. 복싱 다이어트 클럽이 여성
들에게 인기며, 장수 컨설팅이 일본에서 특히 인기다. 남성 피부
관리실은 미·일 모두에서 인기업종이다. 우리나라의 경우 남성
전용 머리방이 생긴 걸 보면 이도 머지않은 듯하다. 이 밖에 멀티
스넥점, 당뇨 전문식당, 노인 식품점, 실버 카페 등도 활발하다.
미·일에서 잘 되고 있다는 실버 잡지의 경우, 우리나라 사람들의
독서 습관으로 봐서는 가능성이 낮아 보인다.

DIY 교육

미·일, 특히 미국인들은 DIY를 좋아한다. 무엇이든 자기 손으로 만들고 고치는 것을 좋아한다는 것이다. 휴일이면 자동차를 고치고, 애완견 집을 지어주며, 우편함을 만들어 다는 것이 미국인들의 취미다. DIY족들을 위한 공구 체인점, 직접 와서 필요한 물건을 만들어 갈 수 있는 목공 전문점이 호황을 누리는가 하면 이것이 한 단계 발전하여 DIY를 이용한 어린이 교육 아이템이 새로운 트렌드로 떠오르고 있다. 맞춤 장난감 같은 형태다. 지능개발, 인성개발을 도와주는 다양한 교육 장난감 아이템이 체인점 형태로 부상하고 있다. 우리나라의 장난감들이 대부분 완성된 형태인 것에 비해 이들은 DIY에 중점을 두고 있다는 점에서 차이가 난다.

환경

3D와 환경 분야는 창업의 기회가 많은 영역이다. 재생 카트리지 판매, 빌딩 옥상 녹지조성, 교육용 수경재배 세트, 점포 리모델링 등이 근래에 떠오른 아이템이다. 청산 비즈니스도 유행이다. 부도가 났거나 가게를 그만두는 점포의 재고를 인수하여 싼값에 판매하는 일이다. 우리나라에 없는 아이템으로 일본에는 유니폼 세탁을 전문으로 대행해주는 사업이 활발하다. 우리나라에서는 유니폼이나 가운을 집으로 가져와 세탁하지만 일본에서는

회사에서 세탁한다. 유니폼도 내것이 따로 없다. 회사에 출근해서는 자신의 체형에 맞는 것을 골라 입으면 된다. 머지않아 우리나라에도 활성화될 아이템으로 보인다.

기타

최근 뷔페식 도시락점이 등장했다. 천편일률적인 도시락이 아니라 도시락 상자에 마음에 드는 음식을 담아 오는 것이다. 야유회라도 갔을 때 나오는 맞춤 도시락은 천편일률적인 내용물 때문에 식상한 경우가 많았을 것이다. 이를 개선한 아이템이다. 이를 이동식으로 옮겨 다니며 서비스해주는 곳도 나타났다. 선물용품도 생일선물 하는 식으로 테마별 전문점이 부상하고 있으며, 사무실이나 현관에 걸어둘 수 있는 미술품 대여 전문점도 부상하고 있다. 유사한 아이템으로 우리나라에는 화분 대여점이 있다. 사무실 등에 화분을 대여해주고 정기적으로 방문하여 관리도 해준다. 싫증나면 다른 것으로 바꿀 수도 있다. 오토 캠핑에 필요한 장비나 여행에 필요한 물품 일체를 대여해주는 곳도 부상하고 있다. 우리나라의 경우, 주5일제가 확산되면 큰 시장으로 성장할 아이템이다.

이 밖에 이색상품만을 전문점으로 취급하는 체인점이 나타났다는 소식이 들리며, 애완동물 보험업, 신용회복 컨설팅 등 재미있는 아이템도 등장하고 있다. 신용불량자가 기하급수적으로 늘어나는 우리의 경우 신용복원 사업도 재미있는 아이템으로 보인다.

⚜ 프로즌 퓨전바

미국의 창업 전문지들이 추천하는 떠오르는 아이템이다. 프로즌frozen은 '신선하다' 정도의 개념으로 보면 될 것이다. 이 것은 익히지 않은 신선류만을 취급하는 체인점이다. 요구르트, 생과일, 야채류, 주스, 빙과류 등으로 간이식을 만들어주는 곳이다. 이 아이템은 시간이 없고 일에 지친 현대인들을 위한 아이템으로 부상하고 있다. 우선 상큼한 맛으로 입맛을 사로잡는다. 그리고 음식을 먹으면서 즐길 수 있는 쾌적한 환경이 초점이다. 또 시간이 없는 현대인들을 위해 "신속한 음식 제공"을 모토로 한다. 이 체인점을 운영하고 있는 곳은 애리조나에 있는 피마 마리코파 공동체인데, 이들은 수익금의 일부를 교육사업을 위해 사회에 환원하고 있어 더욱 사람들의 사랑을 받고 있다고 한다.

⚜ 꽃, 허브 복합점

최근 미·일에서 부상하고 있는 아이템 중 하나가 꽃+허브 복합점이다. 이는 우리나라에도 상륙한 아이템이지만 미·일의 기세로 볼 때 우리나라에서도 크게 유행할 아이템으로 보인다. 사업 내용은 글자 그대로 꽃과 허브를 동시에 취급하는 것이다. 미·일 등의 사례를 보면 소득 수준 1만 달러가 넘으면 향기 산업이 크게 유행한다.

✣ 국제 파티

　　요즘 일본에서는 국제 파티업이 호황을 누리고 있다고 한다. 일본에 거주하는 외국인은 180만 명, 이들과 일본인들 사이의 교류를 위한 모임이다. 그러나 내막을 자세히 보면 영어를 배우려는 일본인들과 일본을 좀더 알고 싶어하고 일본 친구를 사귀려는 외국인들의 속마음이 맞아떨어져 성황을 이룬다. 주 1회 정도 파티를 개최하는데, 파티 참가비는 3000엔 정도고 여기에 참석하는 사람의 대부분이 조금은 영어를 할 줄 아는 젊은이들이다. 이 파티를 처음 주선한 사람은 영어학원을 운영하는 사람이다. 외국인 교수와 일본인 학생들 사이에 프리토킹 시간을 마련해주면 공부에 도움이 될 것 같아 기획한 것인데 이제 학원을 운영하는 것 못지않게 수입이 쏠쏠하다고 한다.

　이런 파티를 주선하는 곳은 여러 곳으로, 참석 자격을 제한하는 곳도 있다. 예를 들면 일본 여성과 외국인 남성만 참석하도록 제한을 두어 은근히 남녀의 만남을 주선하기도 한다. 여기에 참석하는 외국인들은 일본 주재 상사원, 특파원, 유학생 등이어서 일본 여성들 사이에서 '물 좋은 파티'로 유명하다고 한다.

선탠 서비스

이제는 선탠도 해변에서만 하는 게 아니다. 젊음을 유지하고 건강한 피부를 가지고 싶어하는 젊은이들을 위해 실내 선탠업체들이 호황을 누리고 있다. 인공적인 선탠은 또 해변에서처럼 유해한 자외선 피해를 줄일 수 있어 더욱 인기를 끌고 있다.

10년 전 세인트루이스에서 실내 선탠을 시작한 더 탠은 이러한 인공 태닝 프로그램을 보급하는 프랜차이즈 기업이다. 이들은 자체적으로 선탠 대학을 세울 정도의 규모로 성장했다. 현재 미국 내에서 40개의 점포가 영업중이며 해외 점포도 모집하고 있다는 소식이다.

내 술은 내가 만든다

미국에서 뜨는 아이템이다. 맥주를 만드는 방법도 무수히 많다. 원료에서부터 첨가제에 이르기까지, 또 발효 방법에 따라 차이가 나기 때문이다. 나만의 개성을 강조하는 미국에서는 이를 이용하여 나만의 술을 만들어주는 술집이 생겨났다. 고객이 60 여 가지의 술 만드는 방법 중에서 고르면 술을 담가준다. 물론 그 술은 그 집에서 보관해주며 자신만이 마실 수 있다.

⚜ 두뇌 체육관

몸과 마음의 피로, 스트레스를 풀어 두뇌를 활성화시켜주는 아이템이다. 헬스클럽에 가서 땀을 흘리는 것도 스트레스를 푸는 방법이지만 그럴 힘도 없을 정도로 피로한 사람은 두뇌 체육관을 찾는다. 육체에 과하지 않을 정도의 소리와 빛, 물리적인 자극을 주어 뇌파를 활성화시키는 것이다. 이곳에 들어서면 민트 향이 은은한 가운데 맑은 숲속이나 해변에 온 듯한 분위기로 안정감을 주며, 헤드폰을 끼면 아름다운 새소리, 폭포소리, 파도소리가 들려오고 특수 안경을 끼면 만화경처럼 아름다운 광경이 펼쳐진다고 한다. 맨해튼에서 1987년에 창업한 '싱크로 에너자이저'는 1만 명 이상의 단골고객을 확보하고 있다. 알코올이나 마약 중독 치료에도 효과가 높다고 한다. 일본에서도 성업중이다. 우리나라의 경우 스트레스를 받는 직장인들이 많고, 수험생 등의 수요도 있어 시장 가능성이 높은 것으로 평가된다.

⚜ 실버 잡지

고령사회로 접어들면서 미·일에서는 고령자를 위한 잡지가 유행이라고 한다. 일본에서 발행되는 《사라이》라는 잡지는 노인들의 휴식을 위한 정보, 여행 정보, 오락, 문화, 온천, 음식, 건강 등의 정보들로 꾸며져 상당한 인기를 끌고 있다고 한다. 우리나라의 경우, 책을 잘 읽지 않는 국민들의 독서 습관으로 인해 활성화될 수 있을지는 의문이다.

당뇨 전문식당

당뇨 환자들에게는 식이요법이 가장 중요하다. 이런 사람들만을 위한 식당이 일본에서 유행이라고 한다. 우리나라에도 이들을 위한 전문 식품이 나오고 있다.

샴푸방

시간이 없어 머리를 감지 못하고 나온 사람들이 들러 간단히 샴푸를 할 수 있는 곳이다. 사우나를 가기에는 좀 번거롭고 이런저런 일로 골치가 아플 때도 들러 머리를 감고 간다고 한다.

Chapter 3

창업 마케팅

시장에서 살아남으려면 1등, 최소한 2등을 해야 한다.
1등을 하려면 1등이 하는 것과 다르게(차별화),
1등을 피해서 나만의 작은 시장을 찾아라(세분화)!

1. 시장의 본질

동일상권에서는 1, 2등만 돈을 번다

시장에서 1등과 2등은 많은 차이가 난다. 2등과 3등도 마찬가지다. 어느 분야의 시장을 세 기업이 5:3:2로 나누어 가졌다고 가정해보자. 이때 이들의 수익 구조도 5:3:2의 비율로 나누어지는 게 아니다. '란체스터의 법칙'에 의하면 이때 서로가 나누어 가질 수 있는 몫은 점유율 비가 아니라 점유율의 제곱에 비례하여 25:9:4가 된다. 따라서 1등과 2등의 몫은 약 3배 이상의 차이가 나고 2등과 3등도 2배 이상의 차이가 난다. 이것이 시장의 본질이다.

위의 수식에 의하면 3등도 4만큼의 돈을 벌지 않느냐 하는 반론이 있지 않을까 해서 다시 정리하면, 3등은 전혀 돈을 벌지 못한다. 실제 시장 상황에서는 다음과 같이 될 것이기 때문이다. 1등, 2등은 3등을 시장에서 탈락시키기 위해 자신들의 예상 수익 중에서 가격 할인이나 기타의 방법으로 4만큼을 포기하는 것이다. 결국 1등은 21(25-4), 2등은 5(9-4)의 몫을 가지는 대신 3등은 한푼도 벌지 못하고 만다. 실제 시장 싸움은 이렇게 전개된다. 그래서 시장에서는 1등을 해야 하고, 최소한 2등은 해야 한다.

마케팅과 마라톤의 차이

그런데도 사람들이 선두를 모방하기 좋아하는 것은 왜일까? 뒤늦게 수저만 들고 뛰어들어 선두의 몫을 적당히 나누어 가질 수 있지 않을까 하는 욕심 때문이다. 그러나 그런 일은 일어나지 않는다. 음식점 등 점포 사업인 경우라면 상권이라는 게 있기 때문에 지역별로 골고루 먹고살 수 있다. 하지만 전국이 하나의 상권인 아이템은 1등을 모방하면 반드시 실패한다. 사이버 아이템은 더욱 그러하다. 우리가 편의점이나 슈퍼마켓에서 볼 수 있는 아이템들은 모두 전국적인 상권의 상품들이기 때문에 여기서는 1, 2등만 돈을 번다. 온라인이 되면 전국은 물론 세계가 하나의 상권으로 변하기 때문에 절대적으로 1등만 살아남는다. 아이디어 사업이나 뉴비즈니스를 연구함에 있어서는 이 점을 간과하면 절대로 성공하지 못한다. 마라톤에서는 선두를 뒤따르기만 하면 2등을 할 수 있지만 마케팅에서는 선두가 하는 것과 반대로 하는 것이 오히려 2등을 하는 방법이다. 이것이 마라톤과 마케팅의 차이점이다.

온라인과 오프라인의 차이

근래에 재미있는 사례를 본 적이 있다. 우리나라 증권시장은 점유율에서 큰 차이가 나지 않는다. 근소한 점유율 차이로 나누어져 있다. 대략 점포 수와 비례한다고 한다. 그러나 사이버 증권에 이르면 이야기가 달라진다. 사이버 시장을 먼저 개척한 선두가 절대적으로 유리한 지위를 차지하고 있는 반면, 후발들은 도토리 키재기 식의 싸움을 하고 있는 곳이 인터넷 증권시장이다. 왜 이런 일이 일어나는가 하면, 오프라인에서는 자신의 생활권과 가까운 증권사 지점을 찾지만 사이버에서는 자신의 뇌리에 각인된 하나만 방문하면 되기 때문이다. 그래서 오프라인 증권은 점포 수와 엇비슷한 점유율을 보이는 반면, 온라인에서는 선두만 정상을 향해 질주하는 것이다. 이것이 온라인과 오프라인의 차이다.

2. 1등 하는 법

1등을 하는 방법은 두 가지다. 하나는 1등이 하는 것과 다르게 하는 것이고, 다른 하나는 1등을 피해서 자투리땅을 개간하는 것이다. 전자를 차별화differentiation, 후자를 세분화segmentation라고 부른다. 차별화와 세분화는 모든 장사에 통용되는 마케팅의 핵심적인 개념이다.

차별화

차별화는 시장의 선두주자들이 하는 것과 달리하라는 것이다. 선두를 모방하면 영원히 후발에 그칠 가능성이 높지만 무언가 달리한다면 차별화된 시장에서는 1등을 할 수 있으리라는 것이 차별화의 이론적 근거다. 선두가 하는 것을 따라해서는 1등을 할 수 없지만 '머드팩' 하나에서만은 1등을 할 수 있다는 것이다.

상품 차별화

차별화는 상품을 달리할 수도 있고, 가격이나 유통, 컨셉을 달리할 수도 있다. 색깔 하나 바꾸는 것도 차별화는 차별화다. 문제는 소비자들이 다르다고 느끼는가 여부에 있다. 아무리 조그만 차별화라도 소비자들이 크게 느끼면 큰 차이인 것이다. 그 반대의 경우도 마찬가지다.

차별화 하나로 시장을 완전히 석권한 사례도 적지 않다. 요즘 유행하는 로또복권을 보자. 자신이 직접 번호를 선택할 수 있다는 점에서 이전의 방법과는 획기적으로 다르다. 참여하는 재미를 십분 느낄 수 있기 때문이다. 상금도 정해진 게 아니라 판매 금액에 따라 가변적이라는 게 더욱 스릴을 느끼게 한다. 로또복권은 전형적인 상품 차별화며 이 차별화 하나로 기존의 복권시장을 완전히 뒤엎었다.

일본에서 유행하고 있다는 도서관 레스토랑은 레스토랑에 도서관 기능을 추가함으로써 기존의 레스토랑과 차별화하여 날로 손님이 늘고 있다고 한다. 식사도 하고, 책도 보는 것이다. 일본에는 커피 서점도 있다. 일반적인 서점들에는 의자가 없지만 이 서점에는 의자도 있고, 커피도 판매한다. 의자에 앉아 커피를 마시면서 마음껏 책도 볼 수 있다. 물론 책을 사지 않아도 그만이다. 그러자 커피 판매는 물론이고 책도 더 많이 팔리더라는 것이다. 일본에서는 서서 먹는 우동집, 서서 먹는 스테이크집도 있다. 그 대신 가격은 조금 저렴하다. 서서 먹으니 식사를 마친 즉시 나가야 하고, 결국 회전율이 올라가 전체적인 매출은 더 높더라는 것이다.

리딩 클럽

초등학교의 영어과목 선택 이후 어린이들의 영어학습이 큰 시장으로 떠오르고 있다. 학원은 물론 방문 학습지, 영어 히어링방, 다양한 학습교재들이 시장의 주축들이다. 최근 이를 차별화한 아이템으로 등장한 것이 리딩reading방이다. 여기서는 단어나 문장을 가르치는 것이 아니라 동영상 교재를 보면서 따라 읽는 동안에 저절로 내용을 파악하며 영어를 자연스럽게 익히는 것을 목표로 설계되었다. 교재는 영어권에서 사용하는 각종 읽을거리들인데, 시, 동화, 문학, 전기 등을 난이도에 따라 36단계로 구성했다고 한다. 앞으로 이 시장에는 무한한 차별화 아이템이 나타날 수 있을 것으로 보인다.

컨셉의 차별화

차별화 하나로 정체에 빠진 시장에 활력을 불어넣은 사례도 많다. 자일리톨껌의 경우를 보자. 자일리톨은 대체 감미료에 불과하다. 그러나 이로 대체하면서 기존 껌의 치명적인 약점, 치아 건강에 해롭다는 이미지를 획기적으로 바꾸었다. 그리하여 '양치대용 껌'으로 컨셉을 차별화하자 전혀 다른 상품이 되고 말았다. 만약, 감미료를 자일리톨로 바꾸면서 모양이나 포장을 종전 그대로 두었더라면 지금과 같은 성공을 거두기는 어려웠을 것이다. 기존의 껌과는 다르다는 것을 시각적인 이미지에서 다시 한 번 차별화한 것이다. 새로운 개념에는 새로운 옷을 입혀야 한다.

레저용 자전거를 보자. 자동차가 없던 시절 이동 수단이었던 자전거는 자동차 보급이 늘어나면서 서서히 사양길을 걷고 있었다. 자동차 보급이 늘어나던 시절의 자전거는 자동차를 구입할 여력이 없는 사람들이 타는 것이라는 무의식적인 컨센서스 consensus가 이루어져 있었던 것이다. 이때 나타난 것이 레저용 자전거였다. 기존 자전거의 타이어 폭을 넓고 울퉁불퉁하고 못생기게 만든 것에 불과하다. 승차감도 기존의 것보다 좋지 않다. 그러나 여기에 매일 자동차만 타고 다녀서 운동이 부족한 현대인들의 레저용 자전거라는 해석을 더했더니 폭발적으로 팔려 나가더라는 것이다.

하나 더 보자. 맨소래담이라는 약품이 있다. 시골에서 자라던 어린 시절, 겨울에 손발이 텄을 때 발라주는 끈적거리는 약이었다. 생활 환경이 좋아지면서 거의 사라지는가 했는데 근래에 무섭게 되살아나고 있다. 컨셉을 달리한 것이다. 형태를 크림 타입에서 로션 타입으로 바꾸고 손발 튼 데 바르는 것이 아니라 근육 마사지용으로 포지셔닝을 바꾼 것이다. 사양길에 접어든 산업은 이렇게 되살아나는 경우가 많다.

판매 방법의 차별화

역시 일본에서 유행하고 있는 홈파티 판매를 보자. 여기서 판매하는 아이템은 조리기구나 여성용 고급 내의류, 건강식품 등이다. 아파트 단지 내에 어느 한 가구를 거점으로 확보하고서, 이웃의 주부들을 불러모아 음식 파티를 하는 것이다. 그 자리에서 직접 음식을 만들어 보이는데, 자신들이 팔려고 하는 첨단 조리기구를 이용한다. 요리방법을 직접 체험해보고, 맛을 본 주부들이 구입할 확률이 훨씬 높다고 한다. 유통의 차별화이며 판매방법의 차별화이기도 하다. 동일한 방법으로 고급 여성 내의류를 판매하는 경우, 일단 한번 입어본 주부들은 그 고급스러운 감촉을 잊지 못해 쉽게 벗지 못한다고 한다.

아마존처럼 인터넷을 통해 책을 판다면 획기적인 유통의 차별화다. 이 차별화 하나로 아마존은 미국 최대의 오프라인 서점 반스앤노블스를 추월했다. 화원이 늘어선 단지에 또다시 꽃집을 할

게 아니라 허브집을 하라는 것이다.

일본에는 도심 외곽, 교외에서 양복을 판매하는 곳도 있다. 휴일 나들이객들이 다니는 길가에 가건물을 지어 놓고 양복을 판매하는데, 가격은 시중 백화점의 절반 정도라고 한다. 비싼 매장 비용이 들지 않으니 그만큼 싸게 팔아도 남는다는 것이다.

미국에는 헬스기구를 회원제로 판매하는 곳이 있다. 판매 방법의 차별화다. 헬스기구는 가격도 비싸지만 쉽게 싫증나는 것이 특징이다. 런닝머신을 구입했다면 처음 1~2주 정도만 열심일 뿐 그 다음부터는 구석으로 밀어두거나 지하실에 처박는 것이 보통이다. 이렇게 싫증이 날 때 다른 것과 교환할 수 있도록 하는 것이다. 서로 얼굴을 알지 못하는 회원들이 공동으로 구입하여 회원들간에 서로 바꾸어 쓰는 방식으로 보면 된다. 유료 회원제로 운영하거나 교환시마다 수수료를 받는 방법으로 접근하면 될 것이다.

미국에서는 레저·캠핑 자동차도 그런 방식으로 운영하는 곳이 있다. 승용차는 집집마다 있지만 레저·캠핑용 차는 그렇지 못하다. 이를 회원제로 공동 구입해서 돌아가면서 사용하는 방식이다. 주5일제 정착을 앞두고 있는 우리나라의 경우 오토 캠핑이 하나의 유행으로 자리할 것이 분명하다. 이를 아이템으로 구성해 보는 것도 좋을 것이다. 대여용품점이 성립되기 위해서는 두 가지 요건이 필요하다. 자주 사용하지 않는 것이어야 하고 구입하기에는 가격 부담이 있는 아이템이어야 한다. 한복이나 신혼여행 가방, 캠코더 같은 여행용품이 여기에 속한다. 쉽게 싫증이 나는 아이템도 대여 아이템 중의 하나다. 아이들 장난감 같은 경우가 그러하다.

미·일에서 유행하고 있는 드라이브 드루drive through 패스트 푸드점도 판매 방법을 차별화한 아이템이다. 점포 양쪽으로 자동차가 지나갈 수 있게 설계하여 차를 탄 채로 음식을 살 수 있게 한 것이다. 감자튀김, 버거, 음료수 등을 판매한다. 드라이브 인 극장이나 셀프 세차장 등이 방법을 차별화한 아이템들이다. 샐러리맨들의 점심시간, 꼭 북적거리는 식당에서만 먹어야 하는가. 최근 일본에서는 샐러리맨들을 위해 도심에 있는 간이공원이나 나무 그늘 아래의 벤치로 도시락을 날라주는 아이템이 인기라고 한다. 가격도 저렴하다. 그늘 밑에서 휴식을 취하면서 식사를 하는 것이다.

⚜ 어린이 전용식당

어느 나라나 식당에는 어린아이들이 문제다. 이런 불편을 해소하기 위해 등장한 것이 어린이 전용식당이다. 예쁜 의자와 꼬마탁자, 동물 그림이 그려진 테이블, 아이들이 마음 놓고 낙서할 수 있는 벽면에다 바닥은 아이들이 뛰어놀아도 미끄러지지 않는 고무 타일이 깔려 있다. 의자나 테이블 모서리는 모두 각진 곳을 없앴다. 한켠에는 아이들의 놀이코너도 있다. 주방 안을 들여다보고 즐길 수 있도록 유리벽을 설치했으며 음식 재료는 모두 유기농산물이다. 이는 차별화이긴 하지만 대상의 세분화로 보아도 무방하다.

가격의 차별화

요즘 도시권에서 빠르게 성장하고 있는 할인점은 가격 차별화를 하고 있다. 대량 구매의 이점을 앞세워 재래식 소매점들과 가격 차별화를 시도한 것이다. 가격 차별화는 가격을 내리는 것에만 가능한 게 아니고, 가격을 올려서 오히려 유익한 경우도 없지 않다. 명품 브랜드인 경우에는 가격이 비싸야만 유명세가 유지된다. 가격이 높지 않으면 아무나 구입하게 되고, 그러면 순간적인 매출이나 이익은 늘어날지 모르나 희소가치가 떨어지기 때문에 장기적으로는 핵심 고객이 이탈하게 된다. 이것이 핵심 고객을 보호하기 위해서라도 고가 정책을 써야 하는 이유다. 위스키 시바스 리갈의 경우, 처음 시장에 나올 때는 조니워커 수준의 저가였으나 판매가 여의치 않자 가격을 올려 오히려 명주가 되었다.

차별화는 소비자가 느끼는 것이어야

차별화는 소비자들이 느낄 수 있는 것이어야 한다. 무언가 조금 달리한다고 모두 차별화가 되는 것은 아니다. 오히려 소비자들이 보기에 선두주자를 엇비슷하게 모방했다고 느낄 정도면 하지 않는 것보다 못하다. 기존의 것에서 기능을 더하거나 빼는 것이 작은 차별화라면 개념을 달리하는 것은 큰 차별화다. 자동차에 갖가지 기능을 추가하여 경쟁자와 달리하는 것은 작은 차별화지만 자동차 지붕을 잘라내어 스포츠카라고 이름하면 전혀 새로운 시장이 형성된다. 두루마리 화장지를 조금 고급스러운 펄프로 만들면 작은 차별화지만 이를 잘라서 종이곽에 담아 티슈라고 이름하면 전혀 다른 시장이 된다는 것이다.

⚜ 일본의 중고차 시장

중고차 시장이야 우리나라에도 많지만 최근 일본의 내셔널 코퍼레이션이라는 이 회사는 자동차 매입이 전문인데, 철저히 체인 가맹점 위주로 영업을 하는 것으로 유명하다. 중고차를 팔려는 고객이 가맹점을 찾아오면 가맹점에서는 차종, 자동차 연식, 주행거리, 사고 여부 등 자동차 평가에 필요한 사항을 체크하여 본사로 보낸다. 본사에서는 이 체크 사항을 기준으로 자동차 가격을 산정하여 가맹점에 내려보낸다. 가맹점에서는 그 가격으로 자동차를 사들여 경매 시장에서 판매한다. 만약 사들인 가격 이상으로 팔지 못할 때는 본사에서 그 가격으로 이를 다시 매입해준다. 가맹점으로서는 거래 수수료를 받기 때문에 전혀 손해볼 일이 없다. 이런 차별화된 방식으로 설립 7년 만에 일본 전역에 600개가 넘는 가맹점을 거느리고 있다고 한다.

세분화

차별화가 아이템을 우선으로 고려하는 것에 비해 세분화는 세분된 특정 고객층을 우선으로 고려한다는 점에서 차이가 난다. 차별화가 기존의 강자와 동일한 고객을 놓고 싸운다는 점에서 다분히 경쟁적인 반면, 세분화는 기존의 강자가 있는 영역을 피해서 나만의 작은 시장을 찾는다는 점에서 차이가 난다. 미국의 자동차 회사 크라이슬러는 전체로는 만년 3위에 불과하지만 무개차無蓋車나 스포츠카, 지프 등으로 세분된 시장에서는 여전히 1위다. 갈빗집이 즐비한 거리에서 생갈빗집을 한다면 차별화지만 조그만 분식집을 한다면 세분화에 속한다. 비록 좁은 영역이지만 나만의 시장을 개척한다는 점에서 소자본 창업자들에게 좀더 적합하다. 세분화는 비록 작은 시장을 노리는 것이지만 이것이 시대 조류와 맞아떨어졌을 때는 큰 시장으로 형성될 수 있다. 그렇지 않더라도 넓은 시장에서 2, 3등을 하는 것보다는 좁은 시장에서 1등을 하는 것이 훨씬 유리하다. 이것이 세분화의 이론적 기초다.

양말 하나로 유망 벤처기업으로 우뚝 선 인따르시아를 보자. 그 많은 섬유 업종 중 양말 하나에 승부를 걸었다. 그것도 패션 양말, 바이오 항균 양말, 향기 양말, 기능성 양말로 승부를 걸어

세계적인 기업이 되었다. 이는 섬유류 전체 시장으로 보면 세분화이고, 기존의 양말 시장으로 보면 차별화인 셈이다.

차별화가 좀더 적극적인 개념이라면 세분화는 다소 소극적인 개념이기도 하다. 차별화가 대부분의 소비자를 자신의 상품과 서비스에 끌어들이겠다는 의지라면 세분화는 자신의 상품과 서비스를 세분된 소비자에 맞추어나가는 것이다. 차별화가 되도록 많은 소비자를 겨냥하는 포괄적인 접근 방법이라면 세분화는 되도록 목표 계층을 좁혀간다는 점에서 차이가 난다.

어느 시장이든 처음에는 대다수 소비자를 목표 계층으로 겨냥하지만 성장기를 지나면 시장은 세분화된다. 처음에는 승용차 하나로 모든 것을 해결했지만 성장기를 지나면 스포츠카나 레저·캠핑용 자동차가 필요하게 된다. 이처럼 소비자를 몇 개의 기준으로 나누어 그 중 하나를 온전히 만족시킬 수 있는 상품과 서비스를 제공하는 것이 세분화다.

아무리 후발이라도 세분화를 먼저 시도한 기업은 그 세분된 시장에서는 다시 선두가 된다. 라면시장을 먼저 주도한 것은 삼양이었지만 다양한 용기면 시장으로 세분화한 것은 농심이었다. 그래서 지금도 소비자들은 용기면 분야의 원조는 농심이라고 믿고 있다. 세제류 전체로는 엘지의 생활건강이 원조겠지만 섬유유연제 분야에서는 피존이 원조인 것이다. 이렇듯 시장이 아무리 좁은 영역일지라도 그 시장에서 1위를 해야만 한다. 소자본 창업을 꿈꾸는 사람들이라면 그래서 더욱 세분된 틈새시장을 찾아야만 하는 것이다.

세분화의 기준은 성, 연령, 교육 수준, 소득, 직업, 지역, 라이프 스타일 등 다양한 요소들이다. 몇 개의 기준으로 소비자를 나누어 그 중 하나를 목표 계층으로 잡아 그들이 원하는 상품과 서비스를 제공하는 것이 세분화다. 앞서 지적했듯이 아이템을 우선적으로 고려하면 차별화에 가깝고 특정 고객층을 우선적으로 고려하면 세분화에 가깝다. 그러나 이 경계가 그리 명확하지 않은 경우도 많다.

⚜ 뚱보 의상실

최근 미국은 뚱보들을 위한 인터넷 의상실이 개설되어 전국에서 몰려드는 뚱보들로 활기를 띄고 있다고 한다. 미국의 뚱보 여성들은 이만저만 스트레스를 받는 게 아니다. 유행하는 옷 한 번 제대로 입어보지 못하는 것은 물론, 쇼핑할 때마다 종업원들의 눈치를 봐야 한다. 이런 여성들을 위한 맞춤 의상실이 생겨난 것이다. 이는 '뚱보'라는 계층을 먼저 고려했다는 점에서 전형적인 세분화 아이템이다.

여기서는 이들이 입을 수 있는 헐렁한 옷을 맞추어주는 것이 아니라, 일류 디자이너들의 솜씨로 그들의 체형에 맞추면서도 최신 유행에 맞는 최고급 옷을 만들어준다. 비록 맞춤이지만 백화점 쇼핑 못지않은 선택권을 가진다. 정장, 파티복, 운동복 등 분야를 선택하고 디자이너를 선택하면 해당 디자이너의 작품을 볼 수 있다. 여기서 다시 최고급 외출복이냐, 최신 유행이냐, 클래식이냐 중에서 자신이 원하는 대로 고를 수 있다.

이 아이템을 다시 살펴보면, 뚱보라는 계층을 위한 세분 아이템이지만, 맞춤복이라는 점에서 기성복에 대한 차별화이며, 인터넷 맞춤복이라는 점에서 일반 맞춤복 시장과는 또다시 차별화가 된다. 미국의 의류전문 사이트 얼라이트닷컴alight.com이 그 사례다.

3. 성숙기 아이템은 업그레이드해야 한다

아이템을 선정할 때에는 막 성장 초기에 진입한 아이템이 가장 좋다. 도입기 아이템은 위험 부담이 크고, 성장 후기, 성숙기에 있는 아이템은 수익성이 떨어지기 때문이다. 그러나 최근의 사례들을 보면 성숙기 아이템을 업그레이드하여 성공하는 사례가 크게 늘고 있다. 근래 업그레이드 아이템의 대표적인 사례는 스타벅스 커피점일 것이다. 도처에 깔린 게 커피점이지만 개념을 달리하여 업그레이드했을 때 세계를 제패할 수 있는 아이템이 될 수 있다는 것이다.

학습지 시장을 보자. 학습지를 가정으로 배달해주고 10여 분

정도 아이들의 학습 성과를 체크해주는 아이템, 이것도 성숙기에 접어들었다. 이를 업그레이드한 아이템은 방문교사 대신 전문교사가 강의한 CD로 학습을 시키는 방법이다. 최근에 인기를 얻고 있는 마늘 치킨의 경우, 이미 성숙기를 지난 아이템으로 평가되던 치킨을 업그레이드하여 성장 아이템으로 탄생시키고 있다. 생마늘과 치킨을 저온으로 숙성시켜 요리한 아이템이다. 물론 마늘 특유의 냄새를 말끔히 제거했다. 대학로의 한 치킨집은 치킨과 과일을 결합시켜 카페 분위기를 가다듬었더니 전혀 다른 분위기의 카페형 치킨집이 되었다.

최근 기존의 포장마차를 업그레이드한 아이템으로 '바닷가 이야기'가 등장했다. 포장마차의 경우 70년대 처음 등장할 때는 낭만이 있었지만 이제는 값만 비싸고 비위생적이며 먹을 것도 별로 없다는 게 소비자들의 공통된 지적이다. 이 포장마차에다 요리, 분위기를 더해서 업그레이드시킨 아이템이 바닷가 이야기다. 싱싱한 활어, 구이에다 탕까지 곁들여 술을 마실 수 있는 고급스러운 인테리어로 꾸민 것이다.

하나만 예를 더 들어보자. 김밥집은 동네에서 흔히 볼 수 있고, 성숙기 중에서도 후기에 속하던 아이템이다. 그러나 지난 몇 년 사이에 등장한 업그레이드 김밥집은 요즘 날로 성장하고 있는 아이템이다. 아침밥을 먹지 않는 직장인들이 늘어나고 독신자들이 늘어나면서 동네 가까이에 간이식과 정식 중간 정도의 아이템에 대한 수요가 늘어나고 있었던 것이 성장 요인이다. 라면집도 업그레이드되어 라면찜, 라가스로까지 발전하고 있다. 마땅한 아이템이 없을 때는 흔히 볼 수 있는 아이템을 업그레이드하는 것도 좋은 방법이다.

4. 포지셔닝/브랜딩

아이템 기획을 아무리 잘 해도 포지셔닝과 브랜딩에 성공하지 못하면 실패한다. 기껏 키워 놓은 시장을 후발에게 빼앗길 위험이 있다. 상품과 서비스가 점점 더 감성화되어 가는 요즘 포지셔닝과 브랜딩의 중요성은 어느 때보다 높다.

포지셔닝positioning은 자신의 특성, 서있는 자리를 상징하는 닉네임 같은 하나의 추상명사다. 주위 친구들의 별명을 찾아보자. '천사표'라는 별명을 가진 친구라면 그 친구에 대해 긴 설명이 필요 없을 것이다. 누구는 '민들레'인가 하면, 또 누구는 '황소'일 것이다. 이런 정도라면 그 사람의 별명만 듣고도 그 사람의 특성을 짐작할 수 있으며 이런 별명을 가짐으로써 훨씬 더 친근감을 느낄 수 있다.

별명이 다른 사람들이 불러주는 것인 반면, 포지셔닝은 스스로 붙이는 것이다. 스스로 붙일 수 있는 것이기에 광고에서처럼 거

창한 이름을 붙이고 싶은 유혹에 시달리게 된다. 한때 우리나라의 광고 문구가 거의 "동양 최대, 최초"였던 것을 생각하면 될 것이다. 만약 새로운 자동차를 만들었다면 어쩌면 "세상에서 가장 빠르고 안전한 차" 정도를 상징하는 '무한질주' 정도를 포지셔닝으로 삼고 싶을 것이다. 그러나 그래서는 안 된다는 것이다. 우선, 자화자찬에 소비자들이 식상해진다. 또 가설이지만 그보다 더 빠르고 안전한 차가 나온다면 그 차는 당장 시장에서 도태되어야 할 것이다.

실제로 자동차의 포지셔닝을 보자. 벤츠 자동차는 '품위'를 선택했고, 볼보 자동차는 '안전'이며, 아우디는 '장인정신'을 포지셔닝으로 설정했다. 이는 어떤 의미로는 컨셉의 차별화로 볼 수도 있다. 볼보 자동차는 다른 자동차보다 안전 기준을 몇 배나 높여 잡고 있다. 여기에 비해 몇 년 전에 우리나라에서 나왔던 자동차 하나는 '질주 본능'을 포지셔닝으로 삼아 사람들의 우스개가 된 적이 있었다. 세계에서 가장 빠른 자동차 포르셰는 '우리의 영웅'이다. 자동차를 타고 질주하는 젊은이의 모습을 보여주지만 빠르다는 이야기는 어디에서도 하지 않는다.

스타벅스 커피라면 단순히 커피점이 아니라, 낭만과 여유가 있는 문화 공간이라는 것이다. 롤렉스 시계라면 시계가 아닌 '보석'이다. 미국 레브론 화장품 창시자 찰스 레브론의 말이다. 그는 친구들이 화장품 사업을 한다는 말을 가장 싫어한다고 했다. 그는 말했다. "나는 여성들에게 '아름다움이라는 꿈'을 판다." 이런 것들이 포지셔닝이다.

포지셔닝은 그저 듣기 좋은 편의적인 단어가 아니라 그 상품이 시장에서 사라질 때까지 자신이 지켜야 할 원칙이고, 소비자에 대한 약속이다. 그것이 소비자의 신뢰를 얻을 수 있는 방법이다. 독특한 우동 국물의 맛을 유지하기 위해서 몇 대를 이어 불을 꺼 뜨리지 않았다는 일본의 어느 우동집 이야기가 포지셔닝의 전형이다. 우리나라 기업들의 경우 이런 점에서 아주 취약하다. 원칙이나 철학이 있는 기업도 별로 없지만 있다 해도 그것을 유의하는 사람도 별로 없고, 지키려는 사람은 더구나 없다. 사훈이 있지 않냐고? 그것은 그냥 편의로 하는 말일 뿐이다. 그래서는 안 된다는 것이다. 예를 들면 우리가 초·중·고등학교를 거치는 동안 우리는 일생의 지침이 될 좋은 교훈들을 늘 교실 앞에 걸어놓고 공부를 했다. 그러나 그 교훈을 지금 기억하는 사람이 몇이나 되는가? 그것을 실천했다는 사람은 아직 한 명도 만나지 못했다. 작은 장사에도 하나의 원칙을 가지라는 것이다.

브랜딩도 마찬가지다. 기능이나 특성을 직설적으로 나타내는 단어는 좋지 않다. 곧 진부해지고 만다. 그래서 비유적이거나 상징적인 컨셉을 사용하라는 것이다. 아니라면 아무런 관련이 없는 단어를 사용하는 것이 차라리 무난하다. 아마존을 보자. 아마존이 책과 무슨 관련이 있는가. 아무런 관련이 없기 때문에 유명해지고 나면 '아마존=인터넷 서점'과 동의어로 소비자들의 뇌리에 각인될 수 있다는 것이다. 코닥은 카메라 셔터를 누를 때 나는 소리를 딴 것이다. 우리에게는 찰칵이지만 미국인들에게는 코크닥하는 소리로 들리는 모양이다. 상품의 컨셉뿐만 아니라 포지셔닝, 브랜딩 모두 선두를 흉내내는 듯한 접근은 절대적으로 피해야 한다. 사이버 아이템인 경우는 더욱 그러하다. 앞으로 많은 연구를 하기 바란다.

부록

창업에 도움을 주는 곳들

1. 창업 정보가 있는 곳

금주의 신규창업정보 www.magicsystem.co.kr 무점포 창업, 유망사업, 여성 사업, 창업자금 마련 정보 등 창업과 관련된 정보를 종합해 제공하는 사이트. 인터넷, 오락, 자판기, 문구, 팬시 등 최근 각광받는 창업 아이템을 알 수 있고, 링크된 사이트 중 유용한 곳이 많아 다양한 정보를 얻을 수 있다.

기업금융연구원 문서서식예스폼 www.yesform.com 창업서식, 회사운영서식, 표준사규, 각종 계약서, 사업계획서 양식, 사업계획 작성사례, 회사경영 관련서식을 구비하고 있다.

대덕스톡 www.ddstock.co.kr 일반 투자자들에게 대덕 밸리에 위치한 비상장 벤처기업들의 정보를 제공하고 투자를 활성화하기 위한 전문 사이트.

라이센스몰 www.licensemall.co.kr 공인회계사 및 공인중개사, 세무사, 전자상거래관리사 등의 자격증 정보와 사이버 강좌를 제공한다. 자격증을 필요로 하는 전문직에 대한 향후 전망과 진로 방향 등을 안내하며 사이버 강좌는 유료 회원제로 운영한다. 언론에 소개된 보도자료와 '내게 맞는 라이센스' 코너를 통해 유망한 자격증 정보를 소개한다.

라이터스 www.writers.co.kr 프리 저널리스트나 라이터로 활동할 수 있는 사이트. 취재 및 원고 대행, 글쓰기 컨설팅을 비롯하여 보도자료, 리포트, 뉴스 등을 제공한다. 글쓰기 경험이 있는 사람이라면 꼭 한번 들러보자. 작업 원고의 출판지원 혜택도 받을 수 있다.

라카데미 www.lacademy.co.kr 국가자격증, 민간자격증, 국제자격증 관련 정보가 총망라되어 있는 자격증 포털사이트. '맞춤자격증 정보'를 통해 본인에게 도움이 될 만한 자격증을 검색할 수 있고, 월별 자격증 시험 일정을 확인할 수 있는 '자격증 달력'과 '자격증 뉴스' 코너도 유용하다. 각종 강좌를 개설하여 온라인 교재와 테스트, 실제 음성 등을 이용한 사이버 강좌를 서비스한다.

맛깔컨설팅 www.yesyori.com 음식점을 차리고 싶지만 정보가 없어 고민한다면 꼭 들러야 할 사이트. 음식점 창업뿐 아니라 영업 활성화 등 음식점과 관련한 노하우를 총정리해 제공하고 있다.

미래유통정보연구소 www.saup.com 창업컨설팅전문가 김찬경 씨가 운영하는 창업정보 사이트. 최신 유망사업, 상권분석, 성공사례, 체인, 해외사업 정보 등 창업에 관련된 전반적인 정보를 제공하고 있다. 무엇보다도 베스트 콘텐츠 창업 아이템 코너의 국내외 사업, 인터넷 비즈니스 사업 정보는 다른 사이트에 비해 전문적이다.

베이비시터 아카데미 www.babysitteracademy.co.kr '베이비시터'는 빈 집을 봐주며 아이들을 돌봐주는 사람으로 외국에서는 보편화된 아르바이트. 국내에서도 점차 호응을 얻고 있는 추세로 아이들을 좋아하고, 유아교육에 관심 많은 주부들에게 추천할 만하다. 베이비시터 양성센터 회원으로 가입하여 소정의 교육을 받으면 활동을 지원받을 수 있다.

벤처넷 venture.smba.go.kr 벤처기업 창업이나 투자 또는 코스닥 등에 대한 정보를 제공한다.

벤처스터디닷컴 www.venturestudy.com 벤처 정보 지식 네트워크로 관련뉴스, 리포트, 경영가이드, 코스닥 및 제3시장 정보, 엔젤투자가이드, 특허 정보 등을 제공한다.

벤처피알 www.venturepr.co.kr 벤처기업 전문 PR 대행사. 뉴스, 벤처 현황, 지원 안내, 창업, 벤처경영, 벤처투자, 기술, 특허 안내.

비즈니스유엔 www.businessun.com 한국사업정보개발원이 설립한 계열회사. 점포사업, 프랜차이즈, 인터넷, 글로벌 창업 정보 등 다양한 창업 콘텐츠를 제공한다. 외식업에 필요한 메뉴 개발을 위한 '음식메뉴 클리닉', 해외 히트상품 소개, 투자 아이템 및 상담 코너 등이 특히 유익하다.

비즈와이드 www.bizwide.co.kr 창업박람회, 아이템, 여성창업, 부업, 소호, 인터넷 비즈니스, 부동산, 상권분석, 창업뉴스 등 종합적인 창업 정보를 제공한다.

사비즈 www.sabiz.co.kr 늘어나는 여성 창업 인구를 겨냥해 여성전용 창업서비스를 제공하는 웹진. 컨설팅, 소모임, 세미나, 전시회, 교육 등 다양한 세부항목으로 나뉘어 있어 이용하기 편리하다. 여성 소자본창업 강좌는 물론 직장여성을 위한 국제 비즈니스 과정을 개설하고 있다.

사이버소호창업지원센터 www.sohoexpo.or.kr 중소기업청 소상공인지원센터에서 운영하는 사이버 창업박람회 사이트로 소자본 창업정보, 창업 및 자금지원상담 등을 제공하고 있다. 박람회 형식으로 창업에 관한 알찬 정보가 수록돼 있다. 특히 저렴한 자금으로 승부하는 개인사업자, 여성 창업자에게 도움이 되는 정보가 많다.

서울산업진흥재단 www.sipro.seoul.kr 중소기업 및 벤처기업 기술, 경영, 자금, 인력 지원기관으로 서울애니메이션센터, 서울벤처타운을 운영하고 있다.

소개닷컴 www.sogae.com 국내 중소 · 벤처기업을 위하여 태어난 사이트로 기업에게 지원되고 있는 각종 정보를 수집하여 무료로 제공한다.

소호월드 www.sohoworld.co.kr 소호 사업자를 위한 맞춤 창업정보를 제공하는 사이트. 창업스쿨에서 개인기업 설립, 법인기업 설립, 사업자등록, 세금계산 등 아이템 구상부터 자영업 설립에 이르기까지 단계적으로 정보가 제공된다. 국내외를 망라한 유망 소호사업, 프랜차이즈 정보가 특히 질적으로 우수하다.

스카이벤처 www.skyventure.co.kr 벤처와 관련된 모든 기업과 금융기관간의 교류 활성화를 위해 개설한 벤처 포털사이트.

스터디클릭 www.studyclick.co.kr 문화관광부에서 주관하는 관광관련 자격증과 아마추어 번역사, 한글 자막방송 컴퓨터속기사 자격증 취득을 위해 운영되는 전문 교육사이트. 시험일정과 시험요령, 면접요령 등을 일러주며, 면접 및 필기 기출문제 자료를 제공한다. 교재와 온라인 학습, 실전 테스트 등을 통해 시험을 준비할 수 있다.

실나라 www.silnara.com 코바늘 뜨기, 대바늘뜨기, 양재, 십자수 등 실과 바늘을 이용한 가정 공예 사이트. 계절과 용도에 따라 작품을 소개하고 관련

재료를 판매하기도 한다. 직접 정성껏 뜬 제품을 일반 소비자에게 팔 수 있는 '사고 팔고' 코너를 운영하고 있어 손재주만 있다면 부업으로 연결할 수 있다.

아이디어플라자 www.ideaplaza.co.kr 아이디어가 있으면 특허출원, 세무, 법률상담, 마케팅까지 제공받을 수 있다.

아이러브속기 www.ilovesokgi.org 온라인과 오프라인을 통해 속기를 공부하는 동호회. 속기사 자격증 취득 강좌와 기출문제, 속기사 경험담 등을 제공한다. 원서접수 및 시험일자, 시험과목, 채점 및 합격기준 등 관련정보를 안내하며, '자료실'에는 국회 본회의록, 대통령연설문, 사설, 칼럼, 연설문 등 유용한 자료가 수록돼 있다.

아이비즈폰 www.i-biz.co.kr 벤처관련 뉴스들을 요일별로 주제를 나눠 보내주는 메일링 서비스.

아이윌비 www.iwillb.com 여성들을 위한 실시간 채용 정보를 제공한다. 성공한 여성 전문가들의 체험과 노하우를 소개하고, 실질적인 취업 및 소호, 창업 등에 도움을 준다. 여성 유망 직업과 재테크, 자격증 정보 등 방대하고 전문적인 콘텐츠를 자랑하며 동호회도 활발히 운영되고 있다.

아이창업 www.ichangup.co.kr 예비창업자에게 필요한 최신 창업 정보에서 사업 아이템 소개, 창업 경험담, 세무 정보 등을 제공한다.

아줌마파워닷컴 www.azummapower.com 기혼여성의 능력 개발과 재택근무의 활성화를 위해 운영되는 여성 취업 전문 사이트. 텔레마케터, 제품판매, 영어강사, 번역 등 다양한 분야의 아르바이트 정보를 소개하고 있다. 재택근무 및 구인구직, 재테크 분야의 최신 정보가 수록돼 있고, 다양한 직종에서 일하는 주부들의 인터뷰와 솜씨를 소개해놓은 코너도 유익하다.

아트패션갤러리 www.fashionpainting.co.kr 한국 패션페인팅협회에서 운영하는 패션페인팅 전문회사. 국내 최초로 패션페인팅을 소개하고, 전문 강사교육을 통해 자격증을 발급, 강사 활동을 지원하고 있다. 패션페인팅은 의상이나 패브릭 소재에 자기만의 독창적인 아이템과 개성을 표현할 수 있는 신개념의 아트페인팅으로 여성들에게 유망한 아이템이다.

알바OK www.albaok.net 온라인으로 학원강사 및 과외를 알선해주는 사이트. 초중고생의 일반 교과목을 비롯해 컴퓨터, 외국어, 예체능 등 자신의 전공이나 경험을 살려 과외 아르바이트를 소개받을 수 있다.

애드플라자 ad.joongang.co.kr 각종매체 자료, 광고업계 소식 등 광고에 관한 내용을 소개하고 있다.

연합창업지원센터 www.jes2000.com 예비창업자를 위한 온라인 무료 창업 상담, 창업 관련 최신 뉴스, 아이템, 판촉 전략, 추천사이트.

이노넷 www.innonet.ne.kr 벤처기업 창업을 안내하고, 세계 각국의 정보를 찾아준다.

이비즈투데이닷컴 www.iBiztoday.com 정보통신과 벤처캐피털 관련 뉴스만을 전문적으로 다루는 인터넷 경제신문.

이아이피오 www.eipo.co.kr 벤처기업 투자정보 및 마켓플레이스 제공, 재무, 법률, IT, 경영 컨설팅 제공, 기업금융, 벤처기업 리서치 서비스.

인터넷트레이드 www.infotrade.co.kr 인터넷 창업관련 사이트.

점포닥터 www.jumpo119.co.kr 점포사업자라면 꼭 들러보면 좋을 사이트. 유망 점포 고르는 법, 점포에 맞는 인테리어, 소점포 창업 정보, 창업 준비 및 분석연구, 전문가 상담, 점포 클리닉 등 점포에 관한 정보를 총망라하고 있다.

주부부업 www.zububuup.com 여성들의 전문부업 개발과 알선을 전문으로 하는 사이트. '부업세계' 코너에서는 컴퓨터, 교육, 봉사, 취미, 해외 등 부업의 분야를 세분화하여 아이템을 제공하고 있다. 또 '수공예전문부업' 코너를 마련해 주부 수공예가들의 작품을 전문적으로 위탁판매하고 있다.

중소기업정보은행 smdb.smipc.or.kr 중소기업 정보은행에서 사업 아이템을 가진 사람과 기업을 연결시켜주는 서비스를 제공한다.

창업TV www.changuptv.com 창업관련 인터넷 방송국으로 벤처, 인터넷, 여성창업, 창업 일반, 프랜차이즈 창업, 대학생 창업 등 창업 정보 및 업체 정보를 제공하고 있다. 인터넷 방송국인 만큼 풍부한 동영상 강의도 제공하고 있다.

창업넷 www.changupnet.go.kr 창업정보 종합사이트. 조세지원, 창업 동아리, 창업자금, 창업강좌, 창업보육센터, 법령 및 서식 등 창업에 필요한 다양한 정보를 제공하고 있다. 중소기업청에서 운영하는 사이트인 만큼 창업진흥에 관한 한 정부의 정책에 대해 빠르고 정확하게 알 수 있다.

창업신문 www.openmoa.com 신종사업 안내, 세무·법률 지식, 컨설팅 자료, 사업등록절차, 경매, 여성창업 정보 등을 제공하는 사이트. 인터넷 웹진으로 최근의 창업 경향이나 전반적인 흐름에 대해 쉽게 알 수 있다. 창업에 필요한 자금 대출 및 컨설팅에 관한 정보가 특히 풍부하다.

캠퍼스쿡 www.campuscook.co.kr 조리사 및 제과제빵사 자격증 취득을 위한 온라인 교육을 제공한다. 시험의 출제기준과 채점기준, 합격기준을 비롯해 유의사항, 시험준비물에 이르기까지 관련 정보를 세세히 일러준다. 관련학원의 지역별 검색 서비스가 가능하며 전국 산업인력공단의 위치와 전화번호도 안내한다. 음식점 창업 정보도 소개하고 있다.

케이브이씨넷 www.vc.co.kr 코리아벤처컨설팅, 인터넷 전문 인큐베이터업체, 인터넷 비즈니스 창업지원 및 컨설팅, 벤처기업 관련 정보 수록.

코르딕 www.kordic.re.kr 중소·벤처기업의 기술연구와 개발과정에서 발생하는 애로사항에 대해 전문적으로 컨설팅해주는 온라인 기술상담센터.

코리아 벤딩 자판기 창업컨설팅 www.koreavending.com 자동판매기 부업, 창업 정보 사이트. 자판기 역사와 종류별 자판기 목록, 지역상권 정보, 일본 소식, 보도자료를 제공한다.

파수닷컴 www.fasoo.com 인터넷 콘텐츠 제공업체들에게 콘텐츠의 불법사용 방지 및 자동결제 등의 서비스를 대행해준다.

푸드드링크 www.fooddrink.co.kr 일본의 이자까야 및 국내 요리주점 전문 정보, 주점 프랜차이즈, 창업 컨설팅.

프랜차이즈 www.franchise.co.kr 체인점 개설에 관한 다양한 정보를 제공한다.

필라민트네트웍스 www.feelamint.com 인터넷 콘텐츠 전송 전문업체.

한국발명진흥회 www.kipa.org 특허, 실용신안 등 산업재산권 거래를 알선해준다.

한국사업연구소 www.sosaup.co.kr 창업전문 컨설팅업체로 사업 적성검사는 물론 유망창업, 부업, 돈 버는 사업, 일본 이색사업, 추천 체인사업 등 다양한 사업 아이템을 제공하고 있다. 특히 '당신이 찾고 있는 그 아이템' 코너에서는 외식, 서비스, 판매유통, 인터넷 관련 사업 등 적은 자본으로 손쉽게 창업해 성공할 수 있는 아이템을 모아놓고 있다.

한국소호진흥협회 www.sohokorea.org 소규모 자영업(소호SOHO), 즉 집이나 조그마한 사무실에서 자신의 아이디어로 사업을 하는 소호사업은 인터넷의 급성장과 더불어 더욱 각광받고 있다. 이 사이트는 소호사업과 관련된 개괄적 설명과 더불어 유망 아이템들을 소개하고 있다.

한국여성경제인협회 www.womanbiz.or.kr 중소기업청과 한국여성경제인협회가 함께 제공하는 여성기업 전문 정보 제공 사이트.

한국외식사업연구소 www.foodservice.co.kr 식당, 음식점, 외식, 창업 정보, 외식 뉴스를 제공하고, 입지 · 상권, 시장조사 분석과 창업 컨설팅을 해준다.

한국외식창업연구소 www.gourmet.co.kr 외식업, 프랜차이즈, 상권분석, 창업정보, 일본의 히트메뉴와 음식관련 교육기관 등을 소개한다.

한국인터넷기업협회 www.kinternet.org 인터넷기업으로 구성된 비영리 민간 경제단체로서 창업 및 기업경영에 관한 컨설팅, 인터넷기업간 네트워크 구축, 투자자금 조달 및 해외진출을 지원한다.

한국조리사회 중앙회 www.ikca.or.kr 조리사 및 조리기능사, 제빵기능사, 바텐더 자격증과 관련된 정보를 수록하고 있다. 전국요리학원의 전화번호와 주소를 비롯하여 원서교부 및 접수일정, 시험과목, 응시자격 등에 이르는 상세한 정보를 제공한다. 음식 레시피와 요리경연대회 등도 소개하고 있다.

한국창업정보센터 www.startinfo.co.kr 퍼스텍 정보통신의 창업전문사이트. 벤처 창업, 프랜차이즈 창업, 취업, 재취업 교육에 관한 정보를 제공한다.

KTB네트워크 www.ktb.co.kr 벤처투자, 기술개발자금 융자, 리스, 팩토링 금융서비스를 제공하는 벤처캐피털 회사.

2. 창업을 지원해주는 곳

가자창업 www.gajachangup.co.kr

사업계획서가이드-비즈플랜 www.mybizplan.co.kr

소상공인지원센터 www.sbdc.or.kr

창업e닷컴 www.changupe.com

체인점 모집 chainopen.com

한국창업정보센터 www.bizclass.com

3. 부업 정보가 있는 곳

기프트엑스 www.giftx.co.kr

김소희칼라믹스 www.yescall.net/colormix

무궁화 문화센터 www.mugungwhamunwhacenter.co.kr

청강공예학원 www.chung-kang.co.kr

풀잎문화센터 www.pul-lib.co.kr

한국수공예협회 www.handicraft.co.kr

한국종이접기협회 www.origami.or.kr

황인자 포장연구소 www.joywrap.co.kr

e부업 www.ebuup.co.kr

4. 아르바이트 정보가 있는 곳

알바링크 alba.joblink.co.kr

잡레이디 www.joblady.co.kr

학원방 www.hakwonbang.com

5. 자격증 정보가 있는 곳

라이센스포유 www.license4u.co.kr

쫑닷컴 www.zzeung.com

한국산업인력공단 www.hrdkorea.or.kr

한솔요리학원 www.hscook.co.kr

창업 아이템별 찾아보기

아무에게나 안 가르쳐주는

창업아이템
창업노하우

지은이 · 이영직

초판 1쇄 인쇄 2003년 10월 1일
초판 1쇄 발행 2003년 10월 10일

펴낸이 · 한 순 이희섭
펴낸곳 · 나무생각
팀장 · 강혜란
편집 · 김은정
디자인 · 김용미 최현진
마케팅 · 문제훈 김선영
출판등록 · 1998년 4월 14일 제13-529호

주소 · 서울특별시 마포구 서교동 328-13
전화 · (대)334-3339, (편)334-3308
팩스 · 334-3318
이메일 · tree3339@hanmail.net tree3339@dreamwiz.com
홈페이지 · www.namubook.co.kr